collection **marabout service**

Afin de vous informer de toutes ses publications, **marabout** édite des catalogues où sont annoncés, régulièrement, les nombreux ouvrages qui vous intéressent. Vous pouvez les obtenir gracieusement auprès de votre libraire habituel.

Du même auteur :

Le livre de la future maman,
Le livre de la maman,
(Solar, 1975).

Guylaine Guidez

le guide Marabout de
la maternité

préface du Dr Roger Hersilie

marabout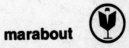

Edition mise à jour en 1985.

Dessins de l'auteur et du Studio Marabout.

Préface

Il n'est pas indifférent que ce livre s'intitule « Guide Marabout de la maternité », plutôt que « Guide de la femme enceinte », ou encore « Guide de la grossesse et de l'accouchement ».

Ceci témoigne du souci de l'auteur d'appréhender la maternité dans une perspective globale, non restrictive, et d'apporter à la femme enceinte et au couple une somme d'informations, de renseignements pratiques, à la fois simples et d'une infinie variété.

Madame Guylaine Guidez a tenté dans cet ouvrage une analyse des différentes tendances et des principaux courants de l'obstétrique moderne ; elle a réussi une synthèse intéressante de ce que nous appelons volontiers trio nodal : le couple — le médecin — la machine (le terme de machine désigne sans intention péjorative l'arsenal technologique de l'obstétrique moderne).

Si, au hasard des pages, l'auteur laisse s'affirmer sa préférence et un intérêt soutenu pour la technologie moderne, on ne saurait lui en tenir rigueur.

Dans le monde aseptisé, mécanisé, rationalisé qui est le nôtre, il était normal que, au nom de la sécurité à tout prix, la technologie fasse une entrée en force dans l'obstétrique et transforme en une véritable science ce qui naguère était encore considéré comme un art : l'art de l'accouchement.

Si l'on jette un regard — ce à quoi nous invite ce livre — sur l'évolution de l'obstétrique des cinquante dernières années et, plus encore, si l'on tente de comprendre le statut de la femme enceinte et le vécu de la maternité, on ne peut manquer d'être surpris par l'impact et la résonance des deux courants les plus importants :

- la psychoprophylaxie qui valorise l'information, les aspects relationnels et psychologiques et qui, dans le processus de l'accouchement, réintroduit la femme comme sujet avec son angoisse et sa liberté ;

- la technologie moderne qui privilégie l'asepsie et la sécurité, et dont, il faut bien le reconnaître, il ne saurait être question de sous-estimer les considérables services qu'elle peut rendre.

Certains voudraient opposer ces deux méthodes. A la vérité, elles n'ont rien de contradictoire. Elles se valent et elles sont complémentaires.

Le souci de la sécurité ne doit pas laisser dans l'ombre le besoin réel, intériorisé d'une information pendant et avant même la grossesse, et la nécessité d'une démythification de la maternité qui permettent un vécu heureux de la grossesse.

La psychoprophylaxie n'a jamais prétendu être une panacée universelle ; on voudra bien lui accorder le privilège et l'antériorité d'avoir été le premier mode d'approche cohérent de la maternité et d'avoir valorisé l'éducation de la femme enceinte et sa participation consciente et active au processus de l'accouchement.

Quoi que l'on fasse désormais, le couple n'accepte plus la passivité dans laquelle on le reléguait volontiers, et il recherche au contraire de plus en plus les conditions d'un dialogue enrichissant avec le milieu médical. Après tout, le besoin d'information et la recherche d'une sécurisation sont bien des valeurs montantes de notre époque.

Parmi tant d'autres, l'un des intérêts essentiels de ce guide rejoint l'objectif permanent de la psychoprophylaxie : rendre l'enfant présent à sa mère et à son père tout au long de la grossesse et de l'accouchement. Toutes les informations concernant l'anatomie, la physiologie de la grossesse et de l'accouchement ne sont pas sans jouer un rôle considérable dans la prise de conscience et dans l'élaboration d'un dialogue nouveau avec l'enfant : la mère est à l'écoute d'elle même et à l'écoute de l'autre en elle.

Le livre de Guylaine Guidez, par son éclectisme, sa clarté, son abondante documentation, véhicule les moyens de faire sauter les verrous d'une sexualité encore trop souvent répressive et contraignante. Il n'est pas toujours facile d'imposer une idée nouvelle, de bousculer les réalités solidement ancrées, de prendre au collet la tradition. Qu'une réalité aussi implantée que la douleur de l'accouchement puisse être remise en cause ; qu'une image aussi rassurante que celle de la femme subissant son accouchement dans les cris et l'agitation puisse être effacée ; que le père puisse être associé à la naissance et trouver sa vraie place près de sa femme au moment de l'enfantement ; voilà de quoi bouleverser toutes les idées reçues, tous les dogmes solidement établis.

Sur un autre registre, ce livre affirme avec raison la nécessité de la technologie obstétricale moderne, dont il faudrait du reste analyser tous les aspects, et particulièrement la dimension psychologique qu'elle revêt du fait de son introduction prioritaire dans l'accouchement.

Guylaine Guidez a créé ici une œuvre utile et qui vient à son heure, une œuvre riche et enrichissante, et dont la lecture facile ne peut laisser indifférent.

Je voudrais que pour des milliers de couples et —

pourquoi pas — pour des milliers d'enfants ce livre soit le début ou la promesse d'une belle aventure, la plus belle aventure dont puisse rêver l'homme : donner la vie.

Docteur Roger HERSILIE

Gynécologue-accoucheur.
Ancien attaché à l'hôpital Lariboisière.
Ancien assistant du docteur Lamaze,
à la clinique des Métallurgistes.

Première partie

Vers l'aventure de la maternité

Acquérir la certitude que vous êtes enceinte

Croire que l'on est enceinte est une chose, l'être en est une autre. Vous irez voir votre médecin en supposant que vous l'êtes, vous ressortirez de chez lui avec une confirmation, une infirmation... ou un doute.

Dans ce premier chapitre, nous vous accompagnons dans le cabinet médical, au laboratoire, à la visite prénatale et chez vous, à votre retour. Les premières heures qui entourent la découverte de la grossesse, les premières questions qui se posent, les premiers problèmes que vous aurez à régler, tels sont les sujets de ce chapitre.

... 28ᵉ, 29ᵉ, 30ᵉ, 31ᵉ, 32ᵉ jour. Pas de règles ! Etes-vous enceinte ? Peut-être, ce n'est pas sûr. De vives contrariétés éprouvées récemment, un voyage en avion, un séjour au bord de la mer ou à la montagne, qui supposent dépaysement et changement d'habitudes peuvent retarder jusqu'à sept ou huit jours la venue des règles. C'est un maximum. Au-delà, il y a anguille sous roche[1]. Il faut aller consulter un gynécologue, ou simplement un médecin généraliste.

Chez le médecin

« Docteur, je crois que je suis enceinte. » Combien d'entrevues commencent par cette petite phrase dans le cabinet médical ! Derrière son bureau, l'homme de sciences interroge : « A quand datent les dernières règles ? La patiente a-t-elle une idée de la date du rapport sexuel au cours duquel a pu avoir lieu la fécondation ? » Cette question aurait autrefois stupéfié. De nos jours, la plupart des femmes pratiquent une forme ou une autre de contraception et savent parfaitement quelle est la période féconde de leur cycle menstruel.

De deux choses l'une : ou bien la fécondation (si fécondation il y a eu) est le fruit, l'aboutissement d'une entreprise volontaire, ou bien elle est le résultat d'un accident, d'une négligence, d'une erreur.

Dans le premier cas, on peut émettre des suppositions sérieuses sur la date à laquelle a eu lieu la fécondation (un enfant sur commande, cela se voit

1. Voir en fin de chapitre.

de plus en plus de nos jours). Dans le second cas, on le peut également. Il y a eu oubli de la pilule, ou rapport sexuel inattendu.

Quoiqu'il en soit, il n'est pas inutile de pouvoir envisager la date de la fécondation, car elle permet au médecin-gynécologue de fixer au plus juste la date de l'accouchement.

S'il y a eu double ovulation au cours de la seconde partie du cycle, c'est-à-dire bien après les 13-14-15-16e jours, période de l'ovulation normale, et que la fécondation a eu lieu alors que tout danger semblait écarté, le gynécologue peut compter dix jours de plus pour la date de l'accouchement. Ceci est surtout valable pour les femmes qui pratiquent la méthode Ogino et se contentent de s'abstenir des rapports sexuels pendant la période féconde.

Vous répondrez au médecin si vous le pouvez. Cela l'aidera dans une certaine mesure. Cette première visite se poursuivra par une auscultation au toucher et au spéculum. L'utérus, après la fécondation, change de consistance et de forme. Il était mou et triangulaire, il devient dur et rond. L'orifice du col s'est relâché. Le médecin le verra au spéculum. Il vous interrogera également sur le passé de votre santé : maladies récentes ou lointaines, survenues au cours de l'enfance — important : se souvenir de sa rubéole, de ses fausses couches ou avortements, de ses antécédents familiaux sur le plan gynécologique et génétique. En fait, le médecin ouvre votre dossier et celui-ci se trouvera encore près de lui le jour de votre accouchement, dûment rempli de toutes les péripéties qui se seront produites au cours des neuf mois de votre grossesse. Muni de tous les renseignements concernant votre aventure procréative, il sera mieux à même de mettre au monde votre enfant.

Le médecin vous demandera certainement de revenir le voir dans une dizaine de jours. Au stade où vous en êtes, il ne peut établir qu'une présomption de grossesse et non un diagnostic. A votre deuxième visite, pour être aussi renseigné que possible, il vous prescrira une analyse d'urine (pour détecter la présence d'albumine) et une prise de sang en vue d'une recherche du diabète et d'un dosage hormonal.

Ces examens peuvent être pratiqués lors de la première visite prénatale (obligatoire pour toucher l'allocation au jeune enfant) qui aura lieu dans un dispensaire, à la maternité municipale, à l'hôpital, etc., où elle offre l'avantage de ne rien coûter.

Au laboratoire

Vous vous rendrez un beau matin, à jeun, dans un laboratoire que le médecin vous indiquera. Au bout de huit à dix jours, vous saurez de façon indiscutable si vous êtes enceinte ou pas. Pourquoi ? Les laborantins auront injecté une petite quantité de votre urine ou de votre sang, ou les deux à la fois, à une lapine vierge, à une grenouille, ou à un cochon d'Inde. Dans les heures qui suivent, si des boursouflures caractéristiques apparaissent sur les ovaires de l'animal, qui a perdu du sang, vous saurez de façon indiscutable que vous êtes enceinte.

Dans le meilleur des cas, vous recevrez les résultats dans les trois jours, mais cela peut aussi en prendre huit, car les laboratoires sont souvent surchargés. Les frais de ces analyses vous seront remboursés à 70 % par la Sécurité sociale. Si le laboratoire est privé, vous devrez avancer la somme.

Le délai correct pour effectuer ces tests se situe dans les quinze jours qui suivent l'interruption des règles (ou amenorrhée). A ce moment seulement les hormones spécifiques de la grossesse circulent en assez grand nombre dans le sang pour que leur présence soit décelable avec certitude.

Les tests chez soi

Il est tentant d'y recourir quand les règles tardent à apparaître, ne serait-ce que pour se débarrasser du doute qui vous étreint et peut-être vous angoisse. Qu'elle soit désirée ou redoutée, la nouvelle d'une prochaine maternité devrait pouvoir être connue aussi vite que possible. Vingt-quatre heures (théoriquement) suffisent pour se faire une opinion. On achète le matériel en pharmacie, pour une somme assez modique, non remboursée par la Sécurité sociale. Ce matériel se compose d'une éprouvette en verre et d'un petit flacon contenant un produit réactif. Quelques gouttes de ce produit sur son urine, le soir, et le lendemain on voit se dessiner le verdict sous la forme d'un anneau nuancé au fond ee l'éprouvette.

Si la réaction est très nette, on peut se fier au diagnostic du test chez soi. Malheureusement, ce n'est pas souvent le cas. Les médecins disent qu'« entre un test positif et un test négatif, il peut y avoir une zone douteuse » que vous, qui n'êtes pas chimiste, pouvez difficilement interpréter. L'utilisation de la pilule, dans certains cas, modifie le taux hormonal. Enfin, certaines grossesses hypo-hormonales (celles qu'on va justement soutenir par des injections) ne sont pas décelables de cette manière. En conclusion, on peut, si vraiment on est impatiente, faire un essai. S'il n'est pas concluant, on empruntera la voie classique qui passe par les laboratoires.

La première visite prénatale

Si vous êtes inscrite à la Sécurité sociale, et même si vous n'y êtes pas ; si vous êtes mariée ou si vous ne l'êtes pas, vous avez droit pendant votre grossesse à l'allocation au jeune enfant[1]. Pour l'obtenir, vous devez en faire la demande à la caisse d'allocations familiales de votre ville ou de votre région et vous plier à la visite médicale trimestrielle. Jusqu'à votre accouchement, il y en a trois. Après l'accouchement,

---

1. Voir en fin de volume pour plus de détails sur les prestations familiales.

dans les vingt-quatre mois qui suivent, il y en a trois autres pour s'assurer que tout va bien (ce sont ces visites qui vous permettront de toucher les allocations).

Ces visites médicales sont gratuites et s'effectuent dans des établissements conventionnés. A partir du moment où vous savez que vous êtes enceinte, vous en faites la déclaration par écrit ou par téléphone à votre caisse. On vous remettra un carnet de maternité dont vous enverrez le premier feuillet à la SS et le double à la caisse d'allocations familiales dès la première visite obligatoire passée. Pour avoir droit aux avantages de cette allocation, la visite doit être passée avant la fin du troisième mois de grossesse (un retard vous en fait perdre le bénéfice).

Que se passera-t-il lors de cette première visite ? Pesée, prise de la tension artérielle, radiographie des poumons (et non du bassin, donc il n'y a pas à craindre les radiations). Cette radiographie sert à déceler un trouble pulmonaire éventuel, que la grossesse ne manquerait pas d'éveiller ou d'aggraver. A partir d'une prise de sang et d'une analyse d'urine, on s'assurera que vous n'avez pas la syphilis, que votre taux de sucre et d'albumine est normal, et on établira votre groupe sanguin et son facteur rhésus.

Les examens prénataux sont donc sérieux. Ils ont été créés et imposés à la population (pas d'examens, pas d'argent) dans un but humanitaire et dans l'intérêt de la société elle-même qui redoute d'avoir à prendre en charge un nombre accru de femmes malades ou d'enfants anormaux.

Cela veut-il dire qu'il faut abandonner son gynécologue ou médecin habituel ? A la limite, on peut se passer de lui si la grossesse se déroule normalement. Mais il peut y avoir des petits problèmes, ou même des gros, et il vaut mieux dans ces moments-là pouvoir se remettre entre les mains d'un médecin qui vous connaît bien, non seulement sur le plan organique, mais aussi sur le plan psychologique.

Prévoir l'accouchement

La durée d'une grossesse varie d'une femme à l'autre. Selon les statistiques, en comptant à partir du premier jour de leurs dernières règles, 4 % des femmes accouchent le 280e jour ; 42 % le 275e jour ; 25 % le 290e jour ; et 29 % le 270e jour ou le 290e jour.

Le chiffre moyen demeure deux cent quatre-vingts jours. La durée de la gestation dépend principalement de la date à laquelle a eu lieu la fécondation mais la date de la nidation de l'œuf dans l'utérus compte aussi car elle peut tarder.

Il importe de pouvoir prévoir la date de l'accouchement, non pas seulement pour s'organiser sur un plan pratique en fonction de l'événement, mais pour intervenir en cas de retard. Un léger déficit hormonal peut retarder l'accouchement de quelques jours. Si le médecin le juge utile, il provoquera l'accouchement par injection d'un produit ocytocique (l'ocytocine étant l'hormone envoyée par l'hypophyse pour déclencher les contractions). Il peut arriver encore que les contractions de la dilatation ne se produisent pas. Or, on ne peut attendre indéfiniment, car si, pour une raison ou une autre, le bébé ne vient pas à l'heure, il devient trop gros, il manque d'oxygène, il

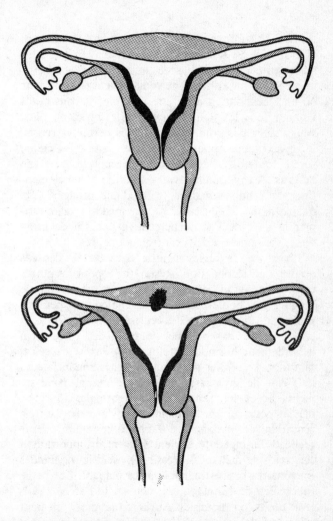

Fig. 1. Utérus à l'état normal et après fécondation.

souffre et s'intoxique. Vous comprenez maintenant pourquoi il est tellement important d'avoir une idée aussi juste que possible de la date de l'accouchement. Si par hasard vous ne vous souvenez pas du jour où une fécondation a pu être possible (si vous faites l'amour tous les jours, par exemple) et si, en plus, vous n'avez pas noté la date de vos dernières règles, le gynécologue pourra apprécier, sans la même sûreté toutefois, l'âge de l'embryon à la taille de l'utérus. A trois semaines, il a la taille d'une clémentine et, à huit semaines, celle d'une orange. Vers quatre mois, à l'auscultation, le médecin peut estimer la date de l'accouchement, et, en fin de grossesse, l'annoncer à deux ou trois jours près.

L'absence de règles signifie dans 90 % des cas qu'il y a eu fécondation. Reste 10 % pour les autres cas. Un déséquilibre endocrinien, un grand état de fatigue, un bouleversement psychologique peuvent provoquer une absence des règles. De même, on peut être enceinte et continuer à avoir des règles. Un débordement hormonal (folliculine) en est cause. Il faut alors se replier sur d'autres signes annonciateurs de l'état de grossesse : nausées le matin, vomissements après les repas, envies anormales d'uriner, dégoût pour certains aliments et envie pour d'autres, sensation de malaise en humant certaines odeurs (celle de la cigarette devient souvent insupportable). Les seins se mettent à grossir. On sent leurs glandes mammaires congestionnées en les palpant. Les petits tubercules de Montgomery, autour de l'aréole, saillent de façon notable. Après trois mois, il peut s'écouler du colostrum, substance blanchâtre, des mamelons devenus protubérants.

Chapitre II

Vos réactions, vos premières impressions à l'annonce de votre future maternité

Vous voici maintenant certaine d'être enceinte. Devant vous s'étendent neuf longs mois pleins d'inconnues, et le superpoint d'interrogation final, votre bébé, un nouvel être humain issu, pour la première fois peut-être, de votre corps.

L'événement est d'importance. Comment l'aborderez-vous ? Quelles seront vos réactions, votre comportement ? Dans ce chapitre, plusieurs gynécologues interrogés nous dressent un tableau des réac-

tions générales de leurs clientes. Autres questions :
comment votre mari va-t-il envisager sa future pater-
nité ? Comment vivra-t-il avec vous votre grossesse ?

Les réactions, à l'annonce d'une grossesse, sont les
plus diverses. Les gynécologues confient volontiers
qu'ils en voient à cette occasion de toutes les couleurs. Toute une gamme de comportements psychologiques s'offre à leur observation. L'attitude la plus
courante est celle de la femme qui, dès l'instant où
elle se sait enceinte, se croit investie d'une mission
sacrée et va dès lors ne plus penser qu'à « ça », et, en
même temps, forcer son entourage à se mettre à
l'écoute de la gestation en cours.

Les rapports du couple

Le mari sera la première victime de cet esclavage
psychologique. Dans son livre, *Petite fantasmagorie*
pour femme enceinte[1], le docteur Chadeyon met en
relief l'attitude du mari devant sa femme « grosse »
(qu'elle soit ou non du type que nous venons de
décrire). « Tout empêtré dans ses activités professionnelles et maritales, écrit-il, il (le mari) s'est at-
tardé dans le quotidien. Il lui est impossible de
communier avec le vécu de celle qu'il aime. Il ne
peut que s'intéresser avec plaisir et tendresse. A

---

1. *Petite fantasmagorie pour femme enceinte* par le docteur Chadeyon (Editions Casterman, 1973).

l'instant où la femme en elle-même se tourne, il n'est pas rejeté, refoulé, repoussé, mais il ressent une molle aura, un cocon où elle s'est réfugiée. »

En tout cas, de l'attitude du mari va dépendre très étroitement l'attitude de la future mère. S'il se montre positif, confiant, compréhensif (sans tomber dans ces excès de compréhension qui vous font admettre et absoudre toutes sortes de caprices souvent dispendieux), la femme vivra sa maternité sans heurts, sans angoisse profonde, sans crises caractérielles graves. On a souvent constaté que la plupart des femmes qui se présentent chez le gynécologue, puis plus tard à l'accouchement, pleines d'amour pour l'homme qui les a fécondées mettent au monde de beaux bébés avec autant d'aisance que la nature le leur permet. Le sentiment d'amour, pierre angulaire d'une maternité heureuse ? sans doute.

On a pu noter que, très souvent, les problèmes qui se posent à l'annonce d'une grossesse découlent presque toujours de l'absence d'amour conjugal véritable. Soit l'enfant n'a pas été voulu ; soit la mère envisage la maternité comme une perte de liberté ou une entreprise d'enlaidissement ; soit le mari se « sent coincé » par rapport à ses projets d'avenir, en même temps que la responsabilité d'une paternité le terrorise. C'est quand l'enfant annoncé a été conçu volontairement par les deux partenaires (ce qui est de plus en plus souvent le cas) que la grossesse a toutes les chances de se dérouler harmonieusement jusqu'à son aboutissement, la naissance de l'enfant désiré, qui lui-même bénéficiera dès le début de ces auspices favorables.

Les conditions matérielles

Et les conditions matérielles ? répliquera-t-on. Elles ne permettent pas toujours d'élever un enfant dans de bonnes conditions. Argument tout à fait réfutable, car un enfant ne réclame pas d'être élevé dans des conditions matérielles particulières, limitées ou fastueuses. Celles-ci n'auront aucune incidence sur son épanouissement. Seule compte la qualité d'affectivité qu'il rencontrera dans son milieu. Quand les futurs parents commencent à parler ressources financières ou manque de confort, c'est à eux qu'ils pensent, non à l'enfant qui naîtra. Ces considérations matérialistes, il faut bien le reconnaître, se répandent de plus en plus parmi les couples modernes. On attend d'être « mieux installés dans la vie », et la contraception permettant une sorte de « management génitif », on procrée à l'âge limite, quand on pense avoir épuisé les principaux plaisirs de la vie. C'est ainsi que les maternités voient arriver de plus en plus fréquemment des primipares de 35-40 ans, dont la grossesse et l'accouchement présenteront éventuellement des difficultés.

Le refus de maternité

A l'opposé de celle qui se sent magnifiée par la fécondation, on rencontre celle qui, au contraire, ressent celle-ci comme une condamnation sanctionnant une vie sexuelle plus ou moins satisfaisante. Ce refus de maternité est assez symptomatique d'un certain milieu où hommes et femmes ont un rôle

voisin, s'habillent à la mode unisexe, jouissent de
libertés égales. La grossesse et l'accouchement rap-
pellent à la mère les différences de sexe. L'arrivée
d'un enfant peut dans ce cas être vécue comme une
régression. Celle qui se voulait l'égale de l'homme
s'en découvre différente. Il lui semble que la nature
la rappelle à l'ordre, cherche à la faire rentrer dans
le rang. Dans la plupart des cas, l'arrivée du bébé et
la naissance de l'instinct maternel viennent tout
arranger.

La peur d'avoir un enfant anormal

Entre les deux attitudes extrêmes que nous venons
d'évoquer se situe, bien sûr, toute une gamme de
réactions beaucoup plus nuancées, qui sont la majorité, car la femme d'aujourd'hui est davantage maî-
tresse de son destin qu'il y a seulement vingt ans. Ce
qui n'a pas bougé, par contre, c'est la peur, d'ailleurs
encore plus vive qu'autrefois, d'avoir un enfant anormal. Cette peur peut être latente, peu perceptible par
l'intéressée elle-même, se muer en vive inquiétude,
déboucher sur une angoisse profonde.

Selon certains psychanalystes, la peur de mettre au
monde un enfant anormal proviendrait d'un sentiment de culpabilité de la femme envers sa sexualité,
dont la grossesse est la concrétisation. Mais cette
peur vient aussi de ce que beaucoup de femmes
encore ignorent le mécanisme de la gestation. C'est
pourquoi nous l'exposerons en détail, et simplement,
dans les chapitres suivants. Mettre au monde un
enfant sain et complet apparaît aux futures mères

comme un exploit presque au-dessus de leurs moyens. Elles traduisent ici leur incrédulité devant la Création et leur profonde modestie envers une grande œuvre qui leur échappe. La maternité ressemble un peu à une loterie dont on pourrait bien tirer un mauvais numéro, et c'est à cause de cette ignorance devant la possibilité d'un contrôle volontaire que sévissent encore tant de **superstitions** (voir petit récapitulatif en fin de volume). On se raccroche à des croyances surannées, teintées de mysticisme, pour se rassurer. On comprend dans ces conditions combien peuvent jouer sur la santé psychique de la future mère le comportement du mari, l'attention du gynécologue, celle de l'entourage et les livres spécialisés, comme celui-ci.

La pilule en accusation

L'emploi régulier de la pilule demeure encore un sujet de suspicion lorsqu'une maternité s'annonce. La rumeur la rendrait responsable d'une recrudescence du nombre des jumeaux, de certaines tares (un film de science-fiction, *le Monstre est vivant*, tend à accréditer ce genre de théorie), de grossesses problématiques, etc. Le meilleur moyen d'en avoir le cœur net : prendre dix minutes pour comprendre comment la pilule agit sur l'organisme. Ce sera le sujet de ce paragraphe.

D'abord, il peut arriver qu'une femme continue à prendre la pilule après la date présumée de ses règles, estimant qu'il ne s'agit que d'un retard. Puis, comprenant son erreur, elle s'affole. En fait, *pendant six jours après la fin des règles, donc une vingtaine de jours après la fécondation, l'œuf est à l'abri de toute action extérieure,* car il se nourrit encore de sa propre substance, et non de ce que la mère lui apportera plus tard. Donc, il n'y a aucun risque. Il n'y aurait risque de féminisation du fœtus que si on continuait à prendre la pilule pendant *un mois après l'interruption des règles.*

La pilule ne saurait jouer un rôle sur la prématurité ou l'anormalité des enfants. Il n'a jamais été constaté, statistiquement, plus d'enfants tarés ou prématurés parmi les femmes qui prennent la pilule que parmi celles qui ne la prennent pas. Tabagisme, vie malsaine, alimentation surfaite, abus de médicamentation sont davantage à imputer.

La pilule est constituée d'un progestatif de synthèse, hormone même de la grossesse, à tel point que, dans certains cas, elle peut résoudre un problème de stérilité. Dans son *Manuel de la future mère*[1], le docteur Del Bo relate des expériences faites sur quatre-vingts femmes stériles, à qui on avait fait prendre à tout hasard la pilule. Au bout de quelques mois, treize d'entre elles étaient enceintes. L'hormone sexuelle avait débloqué leurs ovaires qui s'étaient remis à pondre des ovules.

L'hypophyse est une glande de la grosseur d'un pois logée à la base du crâne dans une petite anfractuosité. Elle sécrète deux hormones, les **gonadotrophines A et B.** L'hormone A agit, dans la première partie du cycle féminin, jusqu'au 14e jour, époque à

1. *Manuel de la future mère* par le docteur Del Bo (Editions De Vecchi, 1974).

laquelle l'ovaire libère un ovule. Son rôle consiste à encourager, à stimuler le développement de l'ovule sur l'ovaire et à le mener à maturité jusqu'à la ponte. A partir de ce moment, l'hormone A est assistée par une autre hormone que fabrique l'ovule lui-même[1], la **folliculine**. Dès que la folliculine circule en assez grande quantité, pour préparer le corps à la grossesse, l'hypophyse cesse d'envoyer l'hormone A, qui a rempli sa mission. Elle envoie la seconde hormone, gonadotrophine B, dont le rôle est d'encourager le **corps jaune** à se former (le corps jaune est fabriqué par le follicule de De Graaf, enveloppe qui a contenu l'ovule et qui va lui fournir sa matière nourricière pendant quelque temps). Ce corps jaune va à son tour sécréter une hormone, la **progestérone**. Le rôle de celle-ci : préparer la muqueuse de l'utérus pour qu'elle se prête à la nidation de l'œuf, le moment venu. Dès qu'il y a assez de progestérone en circulation, l'hypophyse cesse d'envoyer l'hormone B.

Que se passe-t-il alors ? Tout est prêt pour qu'une nouvelle vie puisse s'élaborer. Si un spermatozoïde se présente et féconde l'ovule, un être sera ordonné. Sinon, l'ovule et le corps jaune se désagrégeront. Et tout le travail de préparation de la muqueuse utérine s'autodétruira et s'évacuera le 28e jour sous forme de **règles**.

Lorsque l'ovule est fécondé, le corps jaune fournit encore plus de progestérone. Comme il y a ce qu'il faut d'hormones pour mener à bien la gestation,

---

1. **Plus exactement, le sac qui le contient, appelé « follicule de De Graaft », d'où le nom de folliculine.**

l'hypophyse cesse d'envoyer ses hormones. La femme enceinte est stérile, une fois fécondée.

Forts de cette constatation, les savants (Gregory Pincus en particulier) ont eu l'idée d'exploiter ce phénomène en introduisant par voie buccale dans le sang une certaine quantité de progestérone de synthèse (fabriquée artificiellement) puisque celle-ci bloque le fonctionnement de l'hypophyse.

L'hypophyse, se croyant en face d'une grossesse, puisque le sang véhicule les hormones qui sont propres à celle-ci, cesse d'envoyer ses gonadotrophines. Plus d'ovulation, donc stérilité momentanée. Dès qu'on cesse de prendre la pilule, l'hypophyse reprend ses activités. Il suffit d'oublier un soir de prendre la pilule pour risquer une fécondation. Beaucoup de femmes en ont fait l'expérience !

La pilule et les jumeaux

Le bruit court qu'il y a plus de jumeaux depuis que les femmes prennent la pilule. Des statistiques n'ont pas encore été établies pour confirmer ou infirmer ces dires. Rien n'empêche toutefois d'envisager les fondements d'une telle rumeur.

Comme il est dit plus haut, des expériences faites sur des femmes stériles ont révélé que la pilule pouvait rendre à certaines leur fertilité. De là, on peut être tenté d'extrapoler. L'ovulation bloquée par la pilule redoublerait d'activité dès qu'on cesserait de prendre cette dernière, en prévision d'une grossesse désirée, par exemple. Les ovaires, dans ce cas, pourraient pondre deux ovules en même temps, et ceux-ci seraient fécondés chacun par un spermatozoïde différent. D'où naissance de faux jumeaux.

Qu'il y ait un peu plus de jumeaux actuellement semble exact, mais il faut tenir compte aussi du fait que beaucoup de femmes attendent d'avoir entre vingt-huit et trente ans pour avoir leur premier enfant, et que l'âge est un facteur reconnu d'ovulation multiple.

Influence de l'âge

Les futures mères qui ont dépassé trente-cinq ans se demandent souvent si elles ne vont pas avoir un enfant anormal. Il est bien certain que les 250 000 ovules, contenus en puissance dans les ovaires au moment de la naissance, vieillissent. Il vaut mieux un ovule de vingt ans au moment de sa première maternité qu'un ovule deux fois plus vieux. Cependant, la femme est fécondable jusqu'à la ménopause, et bien des enfants venus sur le tard se sont développés aussi bien que les autres.

Selon les statistiques (il faut toujours se référer à elles), les chances de mettre au monde un enfant sain après trente-cinq ans sont portées à 96 %, au lieu de 99 % quand la mère a vingt ans.

L'accouchement peut être plus douloureux après trente-cinq ans, car en vieillissant les tissus perdent leur élasticité et les muscles de l'utérus leur tonus. Un certain nombre d'accouchements de femmes âgées réclament l'intervention des forceps ou de la césarienne. Ce qui n'a rien de dramatique.

Deuxième partie

Soyez une mère consciente et informée

Chapitre III

Les mystères de la fécondation

Rien de plus abstrait, au début, que la grossesse ; on ne voit rien, parfois on ne sent rien. Tout se passe dans la nuit du corps.

Alors, justement, envoyons un peu les projecteurs sur les lieux où se déroulent les fameux événements qui vont bouleverser votre vie pendant plusieurs mois. Suivons, millimètres par millimètres, les protagonistes de l'aventure, votre ovule et le spermatozoïde de votre mari, jusqu'à leur union qui constituera un nouvel être, lors de ce que l'on appelle la fécondation et la conception.

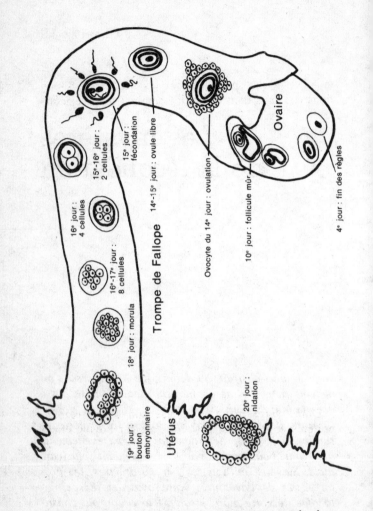

Fig. 2. *Fécondation : l'ovule et le spermatozoïde dans une trompe de Fallope.*

Vous voilà donc enceinte. Le sort en est jeté. Qu'est-ce que ça veut dire sur le plan biologique ? Que l'ovule que vous avez pondu ce mois-là a rencontré un des spermatozoïdes parmi les quatre cents millions contenus dans le liquide séminal d'une éjaculation masculine. Ils se sont rencontrés, ils se sont plu et unis quelque part dans le haut d'une trompe de Fallope (voir croquis).

Au départ, deux cellules...

Vous n'ignorez pas que, chaque mois, l'un des deux ovaires de votre appareil génital pond un ovule, c'est-à-dire une cellule germinale. Elle est différente des autres cellules de l'organisme, d'abord par sa mission qui est de perpétuer la race humaine, ensuite par sa taille supérieure et le nombre de chromosomes qu'elle contient : seulement vingt-trois chromosomes, au lieu de vingt-trois paires contenues dans toute autre cellule humaine. Elle est ronde, contient un noyau en son centre, un cytoplasme autour chargé d'éléments nutritifs (le vitellus) et une enveloppe, ou zone pellucide.

Donc, votre ovule a épousé son spermatozoïde préféré ; le mot n'est pas trop fort car l'ovule effectue bel et bien un choix parmi les spermatozoïdes qui s'empressent autour de lui. On ne sait pas comment, mais on a été amené à le penser. En tout cas, c'est le plus fort, le plus vaillant, le plus convaincant qui gagne. Le spermatozoïde possède une substance, la spermolisine, qui lui permet de percer la membrane extérieure de l'ovule et de s'introduire jusqu'à son noyau. Quelques-uns parviennent à en pénétrer l'écorce, mais ne vont généralement pas plus loin. Il n'y a qu'un vainqueur.

Qui est-il, ce spermatozoïde ? Comme l'ovule, une cellule germinale (encore appelée gamète), mais mâle, et, au contraire de l'ovule, la plus petite de l'organisme humain. Le spermatozoïde s'est formé, dans les canaux semifères des testicules, à partir de cellules sexuelles. Celles-ci possédaient au départ vingt-trois paires de chromosomes, mais ceux-ci se sont dédoublés, si bien que le spermatozoïde ne contient plus que vingt-trois chromosomes au moment de la fécondation. On verra plus loin pourquoi.

La cellule germinale masculine ne comporte qu'un noyau entouré d'une membrane et prolongé d'une longue flagelle qui lui donne l'allure d'un têtard.

Un rendez-vous difficile

En tout cas, le spermatozoïde vainqueur a bien mérité de l'ovule car, pour le rejoindre, il s'est donné beaucoup de mal. D'abord, en compagnie de ses semblables moins chanceux, mais tout aussi courageux, il a dû franchir la première barrière, celle du vagin. C'est un endroit acide où il n'était pas à l'aise. Il s'est donc précipité vers le col de l'utérus, l'a franchi pour se retrouver dans l'utérus, sorte de poche plate en forme de poire renversée de sept à huit centimètres de long. Là, le milieu était plus accueillant, mais loin d'être idéal. Comme il y faisait figure d'étranger, des anticorps se sont précipités sur lui pour le détruire. C'est normal, vous savez que tout corps étranger introduit dans l'organisme provoque une réaction de défense. Grâce à ce système, nous nous défendons contre les microbes et les maladies qu'ils pourraient nous communiquer.

Donc, dans l'utérus, les spermatozoïdes subissent l'assaut des antispermatozoïdes. Bataille acharnée. Beaucoup périssent, mais heureusement ils sont plusieurs millions et ils ont la supériorité du nombre. Quelques milliers d'entre eux arrivent à se faufiler vers les trompes avant qu'il ne soit trop tard. Là, autre problème. Les trompes sont tapissées de cils vibratiles qui fonctionnent dans le sens ovaire-utérus. Ceci afin de pousser l'ovule en avant vers l'endroit où il doit se nicher.

Les spermatozoïdes doivent donc remonter les trompes à contre-courant, à rebrousse-poil, pourrait-on dire. Mais cette difficulté, loin de les décourager, les stimule, paraît-il. Même dans la plus petite particule mâle, l'esprit de conquête existe !

Dans les trompes, le climat est bon, le milieu alcalin, et plus ils s'approchent de l'ovaire, meilleur il fait. C'est donc près de l'ovaire qu'ils rencontreront l'ovule, ou, s'il n'est pas encore sorti de son follicule, qu'ils l'attendront deux jours au minimum, cinq-six jours au maximum (voir croquis).

La répartition des chromosomes

L'ovule descend de son ovaire comme d'un piédestal, tout gonflé d'importance et de richesses nutritives. Et c'est sa fête ! On s'empresse autour de lui, on le flatte, on le sollicite. Il ne se laissera posséder que par un seul spermatozoïde pour lequel il se fait tout mou. Dès que l'élu est entré, la membrane extérieure de l'ovule se durcit. Les autres spermatozoïdes sont condamnés à mort. Ils se dissoudront dans les sécrétions de l'utérus et seront évacués sans tambour ni trompette. Voilà notre ovule fécondé. Le spermatozoïde victorieux se débarrasse de sa flagelle devenue inutile, gonfle jusqu'à cinq cents fois en s'approchant du noyau de l'ovule et va se coller contre lui. Il additionne ses vingt-trois chromosomes aux vingt-trois chromosomes maternels. Ainsi sera reconstitué le chiffre fatidique de quarante-six chromosomes propre à l'espèce humaine.

Après cette opération très importante qui doit pouvoir se dérouler sans incident, la vie va pouvoir commencer.

La division cellulaire

La cellule reconstituée va, dans les heures qui suivent, se diviser en deux cellules identiques, par un phénomène appelé **mitose**. Comment ? Les chromosomes qu'elle contient ressemblent à des petits bâtonnets qui vont par deux. Il y en a vingt-trois paires. Chacun des petits bâtonnets va se casser en deux, et cela donnera en tout quatre-vingt-douze morceaux de chromosomes, ou quarante-six paires identiques. Chaque paire se sépare et s'éloigne l'une de l'autre pour aller se regrouper aux deux extrémités de la cellule. Celle-ci, de ronde devient ovale, s'allonge encore, forme un huit et se casse au point d'intersection. Voilà deux cellules identiques au lieu d'une seule initiale. La cellule fille va grossir à son tour pour atteindre la taille de la cellule mère, puis se diviser de la même manière. Ce qui donnera quatre cellules, qui en donneront seize, et ainsi de suite jusqu'à plusieurs milliards de cellules qui composent l'être humain. La vie ressemble à l'explosion d'une étoile en fines particules. Réaction en chaîne à l'infini, jusqu'à la mort, car même après la naissance, les cellules continuent de se multiplier. Pas à ce rythme-là, heureusement !

La nidation

Tandis que commence la multiplication des cellules sous sa membrane extérieure, l'œuf se laisse pousser peu à peu hors de la trompe vers l'utérus. Quand il y arrive, il se compose d'environ cent cinquante cellules et porte le nom de **morula** parce qu'il ressemble à une mûre, bien qu'il n'en ait pas la taille, car à ce moment, il n'est pas plus gros qu'une tête d'épingle. Il va se promener un peu dans l'utérus à la recherche d'un coin pour se nicher.

Jusqu'à présent, l'œuf a vécu de sa propre substance, mais, maintenant, ses réserves sont épuisées, et il est temps de trouver une solution de rechange. Le trophoblaste[1], c'est-à-dire ses cellules extérieures, sécrètent des ferments pour ammollir la muqueuse utérine, déjà préparée, on s'en souvient, par la progestérone. L'œuf creuse la paroi et, quand le nid est fait, il s'y installe, tandis que la muqueuse utérine le

1. Du grec : tissu qui nourrit.

recouvre peu à peu pour le protéger sous une membrane qui porte le nom de **caduque**, car destinée à tomber au moment de l'accouchement.

A partir du moment où l'œuf s'est installé, le trophoblaste prend le nom de **chorion** et se couvre de villosités qui iront pomper de la nourriture dans les vaisseaux sanguins environnants. L'œuf aussi change de nom. Il devient le **blastocyte** (qui signifie, en grec : sac de germes). Ses cellules vont se mettre au travail pour former dans un délai très bref quelque chose qui prendra une vague forme humaine et le nom d'embryon (après avoir été d'abord un « disque embryonnaire »). Il s'est passé quinze jours entre la fécondation et la nidation, et vous commencez seulement à vous demander si vous n'êtes pas enceinte.

Chapitre IV

Comment une cellule prend forme humaine

Voici la véritable histoire de la naissance de votre enfant. Sa sortie au grand jour n'est qu'un épisode d'une vie déjà riche en événements. Tout es: presque joué lorsqu'il vous apparaît enfin. Du moins en ce qui concerne son aspect physique et ses caractéristiques mentales. Alors, comment pourriez-vous ne pas être intéressée par ce chapitre, vous qui plus tard chercherez à interpréter le moindre signe tendancieux de votre bébé, à comprendre pourquoi il crie ou pourquoi il ne parle pas encore ?... Vous l'admirerez mieux encore lorsque vous saurez d'où il vient, comment il s'est fait. Admiration qui s'étendra à la nature et au phénomène de la Vie.

La fabrication d'un être humain dans le sein maternel mérite d'être racontée par le menu à toutes les femmes qui attendent un enfant, pour qu'elles soient encore plus émerveillées de ce qui leur arrive. Au départ d'une vie, il y a un rapport sexuel pas très différent des autres. A l'arrivée, neuf mois après, un bébé rose de trois kilos dont on accouche avec plus ou moins de difficultés. Tout ce qui se passe entre-temps est bien plus fabuleux que ce tour de passe-passe, et ce serait dommage de l'ignorer.

Pour me suivre, vous allez être obligée de faire malgré vous un peu de biologie. Un grand mot, mais il recouvre des choses si merveilleuses qu'on en oublie la difficulté de la discipline.

Au chapitre précédent, nous en étions au 15e jour environ après la fécondation, date de règles qui n'auront donc pas lieu cette fois-ci. Pourquoi ? Parce que tout le travail de préparation de l'utérus mené par la progestérone (elle l'a rendu spongieux et gorgé de sang) va permettre au blastocyte de se nicher plus facilement dans la muqueuse et d'y pomper du sang (donc des éléments nutritifs) par les villosités du chorion, futur placenta.

Le rôle des cellules

Au début, quand l'ovule a commencé sa division cellulaire, toutes les cellules étaient identiques, « indifférenciées », disent les biologistes. Puis, il y a eu soudain trop de cellules côte à côte. Pour protéger ce groupement, quelques cellules se sont portées à la périphérie pour y former une enveloppe. D'autres se sont regroupées au centre pour former un **bouton embryonnaire.** Entre le bouton et l'enveloppe s'est créé un vide, la cavité amniotique qui va se remplir de liquide, prémisse de la poche des eaux qui entourera le bébé.

Dorénavant, les cellules ne vont plus cesser de se différencier, c'est-à-dire de jouer chacune le rôle que la nature leur a confié au cours de son planning génétique. C'est là qu'il nous faut évoquer la fameuse molécule ADN.

L'ADN, cerveau de la cellule

Dans les chromosomes localisés dans le noyau de chaque cellule humaine se trouve une molécule spéciale, la plus grosse de l'organisme, la molécule ADN. Dans cette molécule se trouve inscrit en code le plan de toutes les cellules formant notre corps. Chaque fois qu'elle se divise, chaque cellule établit le double de ce plan. Au départ, il y a une seule cellule contenant l'ADN. Quand l'organisme est complet, il y a soixante mille milliards de cellules contenant chacune une molécule d'ADN, donc le plan de notre organisme. Comme tout cela se passe au royaume de l'infiniment petit, et qu'aucune intelligence ne semble gouverner cette organisation fabuleuse, on a beaucoup de mal à y croire.

Claude Edelman, dans son livre, *les Premiers jours de la vie*[1], a trouvé une bonne comparaison qui aide à visualiser le petit monde étonnant et le travail des

1. Editions Taillandier, 1973.

cellules, des molécules, des chromosomes sous la direction de l'ADN. Il compare cette organisation à celle d'un orchestre.

Dans un orchestre, écrit-il en substance, chaque musicien connaît à fond, non seulement sa propre partition, mais la symphonie tout entière qui va se jouer. Cependant, il ne joue que sa partition de violoniste ou de trombone.

Dans le corps humain, cela se passe un peu ainsi. Chaque cellule contient en code, parmi les spirales de sa molécule d'ADN, tous les plans du corps, mais elle ne fera que le travail pour lequel elle est faite. Elle n'exécute que l'ordre génétique contenu dans ses gènes, sous le contrôle de l'ADN.

L'organogénèse

Nous avons donc laissé notre blastocyte sous sa caduque, niché dans la muqueuse utérine. C'est un petit disque ovale d'un millimètre environ de diamètre, qui va se diviser en trois couches primaires, comme de la pâte feuilletée. Ces trois tissus vont s'enrouler sur eux-mêmes et prendre la forme d'un croissant. Toutes ces comparaisons pâtissières pour vous aider à imaginer !

Le tissu intérieur (**endoderme**) va former tous les viscères : tube digestif, foie, poumons. Le tissu intermédiaire (**mésoderme**) va former les structures de soutien : muscles, squelette, vaisseaux sanguins. Le tissu extérieur (**ectoderme**), enfin, va former tous les organes dont la fonction est de communiquer : la peau, les sens, le système nerveux (moelle et cerveau).

Au bout de la troisième semaine, une forme humaine s'ébauche. Les cellules accomplissent chacune leur mission. Elles vaquent à l'élaboration du crâne ou à celle des poumons. Chaque organe nouvellement construit « induit » ses propres annexes. Le poumon produit les bronches ; les reins forment l'urètre ; l'intestin le péritoine ; la moelle épinière les vertèbres, etc. Cette période d'élaboration des organes s'appelle l'**organogénèse**. L'embryon se construit ainsi, selon une série d'inductions chimiques. Pour faire marcher le tout, certaines cellules libèrent des molécules qui, dans les cellules voisines, vont déclencher la construction d'un nouveau tissu. Elles peuvent compter également sur la collaboration des protéines spécifiques, et des enzymes qui facilitent le travail et fournissent de l'énergie. Tout cela avec ordre et méthode, en suivant des consignes inscrites parfois depuis la nuit des temps dans la première cellule humaine.

La formation du cœur

Au cours de la troisième semaine va se former le cœur. Nous avons laissé notre ébauche d'embryon sous la forme d'un croissant minuscule de pâte feuilletée. Le centre en est creux. Il a la forme d'un long tube, future moelle épinière, déjà là, mince comme un fil. Autour de ce tube, les cellules en activité s'agitent. Elles s'agitent de plus en plus et, à force, le tube se recourbe à un endroit, prend la forme d'une poche qui subit sans cesse pressions, compressions et dépressions. Bientôt, cette poche va suivre le mouvement qu'on lui imprime, c'est-à-dire se contracter, se décontracter, se contracter. Le mouvement cardiaque est donné. Nous sommes au 21e jour après la fécondation.

Maintenant que nous avons un peu élucidé le mystère du tout début de la vie, rentrons dans un domaine plus facile à explorer, celui de la croissance de l'embryon.

Pour bien faire son travail, la nature a besoin d'un matériel de base. Quel est-il ?

La poche des eaux

Première chose à faire pour que puisse se développer cet embryon si fragile : le protéger. Pour cela, certaines cellules vont se réunir et former une sorte de bulle fine — l'amnios — dans laquelle pourra stagner une matière liquide qui mettra l'embryon à l'abri de tout ce qui pourrait l'endommager. C'est le liquide amniotique (le mot vient de amnios qui veut dire en grec mouton. Quel rapport avec le mouton ? Les agneaux viennent au monde entourés de cette membrane), liquide contenu dans ce qu'on appelle couramment la **poche des eaux.**

Autour de l'amnios, il y a le chorion et ses villosités. Celles-ci vont bientôt s'épaissir, se multiplier et former le placenta.

Le placenta

Vous avez déjà entendu parler des produits de beauté aux extraits placentaires. Dans certains établissements, on récupère le placenta au moment de la délivrance, après la naissance du bébé, et on en tire des éléments nutritifs d'une valeur incomparable. Selon une information fournie par des membres du personnel hospitalier, le placenta humain servirait à la confection de baumes pour accélérer la cicatrisation des grands opérés. Pour les produits de beauté, on n'utiliserait que du placenta animal.

Cela nous donne une idée de la richesse vitale de cette matière placentaire, dont le nom vient du latin et signifie « gâteau ». En fait, ne croyez pas que le bébé va grignoter ce gros gâteau d'une demi-livre tout au long de sa vie intra-utérine. Le placenta est nourrissant, mais d'une manière beaucoup plus complexe. Via des petits vaisseaux sanguins entortillés, qu'on appelle tortillons, il va chercher dans le sang maternel des aliments assimilés — oxygène, sels minéraux, protéines, glycogène —, et, par d'autres tortillons, renvoyer dans la circulation maternelle les déchets de l'embryon (anhydride carbonique, urée). Au passage, ces éléments sont triés et certains, nocifs, sont arrêtés. Résumons alors le rôle du placenta : s'approvisionner, filtrer, apporter, emporter. Mais il ne s'arrête pas là. Il produit aussi des hormones, les gonadotrophines placentaires qui stimulent l'activité du corps jaune et le relaient après le quatrième mois. (Ce corps jaune, rappelez-vous, produit la progestérone qui protège la grossesse, car s'il venait à manquer on pourrait craindre la fausse-couche ou l'accouchement prématuré). Le placenta fabrique également des globulines dont le rôle est de protéger autant que possible contre les maladies infectieuses. En vérité, il est capable de s'opposer aux microbes, mais mal aux virus. C'est pourquoi on redoute tellement pour la mère, pendant sa grossesse, toute maladie infectieuse d'origine virale, comme la grippe ou la rubéole…

Dans son rôle de filtre, le placenta fait ce qu'il peut, mais il est parfois dépassé par les événements. Il laisse passer les anticorps de la mère. Très bien. Ainsi, Bébé naîtra partiellement immunisé ; mais, pour peu que le sang de la mère ne soit pas du même groupe que le sang de l'enfant qu'elle porte, le placenta laissera aussi passer beaucoup d'autres substances nocives : la nicotine du tabac, l'alcool, les anesthésiques (certains), les toxiques divers, sans parler (pour l'instant, car on en parlera au chapitre Rhésus) des agglutinines.

A ce propos, vous constaterez que le sang de l'enfant et de la mère sont bien distincts. Les globules du bébé sont fabriqués par lui tout seul, au tout début, par la vésicule ombilicale, ensuite par le foie, et, enfin, par la moelle épinière. Alors, quand vous dites : « Bon sang ne saurait mentir », vous situez dans le sang des caractéristiques familiales qui, en réalité, se situent dans les gènes des chromosomes.

Le cordon ombilical

Le placenta se trouve au-delà de la poche de liquide amniotique. Un organe est donc nécessaire pour véhiculer ce que les tortillons du placenta vont puiser dans le sang maternel. La nature a imaginé le cordon ombilical en guise de pipe-line. Il est constitué de deux veines et d'une artère. Les veines emportent, l'artère apporte. Le cordon a une autre utilité. Il fabrique le liquide amniotique par exsudation, et cela sans interruption, car cette eau qui reçoit les déchets et les urines du bébé doit se renouveler toutes les cinq heures.

Le cordon mesure cinquante centimètres en moyenne, mais il peut aller jusqu'à un mètre cinquante. A la naissance, il est coupé par l'accoucheur et la cicatrice qu'il laisse forme le nombril.

Chapitre V

Mois après mois, comment se développe votre enfant ?

En lisant ce chapitre, vous saurez (en gros !) comment votre enfant se développe en vous, comment, à partir d'une pastille microscopique, s'ébauche une forme humaine. Cela tient du conte de fée et du roman de science-fiction. Pourtant, depuis que l'homme évolue sur la planète Terre, la Nature déroule à son intention le même programme. Le même ? Eh, oui, à quelques détails près ! Mais ce sont ces détails qui font qu'un être humain est unique et ne peut être confondu avec aucun autre. Votre enfant a beau être fait de ce que vous êtes et de ce qu'est votre mari, il ne sera ni vous ni lui. Il sera « un autre », et il ne faudra jamais l'oublier.

La période embryonnaire

Nous avons laissé notre futur bébé à son premier battement de cœur, âgé de vingt et un jours. Il mesurait trois millimètres et pesait un gramme. Vers le 24e jour, ses bras se dessinent, puis ses jambes. Dans les semaines à venir, ses cellules vont fabriquer un cerveau primitif, des rétines, des nerfs.

A deux mois, l'embryon mesure quatre centimètres et il est déjà quarante mille fois plus grand que l'œuf dont il est issu. Entre deux et trois mois, les membres se complètent. Aux bras poussent des mains, aux mains des doigts, aux doigts des ongles. Les futures empreintes digitales se creusent même à ce moment-là. Quant au visage, il s'ébauche. Le nez pointe, les narines s'ouvrent, les lèvres se dessinent et, dans les gencives, on pourrait déjà trouver les racines des dents de lait. Les organes génitaux se précisent. Au début, l'ébauche tient à la fois du pénis et du clitoris. Les hormones de l'embryon vont faire évoluer ces organes vers la masculinité ou la féminité. A trois mois, c'est déjà nettement un garçon ou une fille[1].

L'organogénèse se termine par la formation du cartilage et son durcissement. Les cent dix os du squelette sont en place mais ils n'achèveront leur croissance qu'à la fin de l'adolescence. En tout cas, l'être humain est complet. Ce n'est plus un embryon, mais un fœtus, et il va désormais croître et embellir pendant six mois encore pour apparaître au grand

1. A la naissance, les ovaires contiennent déjà trois cent mille ovocytes (ou oocytes), futurs ovules qui ne seront pondus qu'à partir de la puberté. Beaucoup dégénèrent.

jour, prêt à affronter les conditions de vie de notre planète.

Du troisième au sixième mois

A trois mois, on ne voit pas encore que vous êtes enceinte. Pour le bébé, et pour vous aussi peut-être, le plus dur est passé. Il est à l'abri des malformations, et si vous n'avez pas attrapé une mauvaise maladie en cours de route, il ne viendra pas au monde avec un bras en moins ou une oreille en trop. Pour vous, c'est la fin des nausées, en supposant que vous en ayez été victime jusque-là.

Pendant le troisième mois, le fœtus grandit. Il passe de huit à vingt centimètres de longueur, et de quelques grammes à deux cents grammes. Il bouge un peu, mais, en général, sa mère ne le sent pas encore. Cela dépend de l'épaisseur de la paroi abdominale et de l'endroit où l'œuf s'est accroché. Ces mouvements correspondent à la mise en place du système nerveux, dont la complexité va sûrement vous étonner.

D'abord la moelle épinière lance des fibres vers les muscles. Certaines sont motrices, d'autres sensorielles. A partir de ce moment, le fœtus va donc réagir aux premières informations tactiles par des soubresauts désordonnés. Ensuite, certaines cellules, les *neurones,* se mettent à fabriquer des fibres qui, comme des tentacules, partent à la rencontre d'autres fibres avec lesquelles elles se connectent, formant un réseau de fibres compliqué qui ressemble à un vaste câblage électrique. Puis, des cellules viennent gainer ces fibres, les enrober d'une substance blanchâtre appelée myéline. Ainsi se forment les nerfs, et, dès ce moment, le fœtus devient sensible et bouge d'une manière beaucoup moins désordonnée. Il peut mouvoir un bras ou seulement un orteil.

Dès quatre mois, il ne va pas se priver de mouvements[1]. Sa mère en saura quelque chose ! Si vous ne le sentez pas bouger, n'en soyez pas pour autant inquiète. Simplement, la maturation du système nerveux évolue sans heurts, et le peu de mouvements que fait Bébé est amorti par le liquide amniotique dans lequel il baigne.

A quatre mois, il pèse deux cents grammes, et comme il se sent un peu à l'étroit dans le bas du bassin, l'utérus remonte un peu dans la cavité abdominale. A six mois, vous l'aurez sous l'estomac !

A cinq mois, il pèse cinq cents grammes et mesure environ vingt-sept centimètres. Sa peau se couvre de duvet. Son cœur bat plus fort. On peut l'entendre parfois au stéthoscope.

A six mois, il mesure trente-cinq centimètres et pèse près d'un kilo. Il suce parfois son pouce, si celui-ci passe près de sa bouche, et il peut avoir le hoquet, car il avale du liquide amniotique en grande quantité. Il paraît que c'est très bon pour lui car cela fait naître le réflexe de déglutition et de rejet.

Du sixième au neuvième mois

Le sixième mois est celui du cerveau. La matière grise qui le compose se divise en six couches. L'en-

1. Jusqu'à deux cents mouvements par jour, parfois !

fant naîtra avec quatorze milliards de cellules grises, mais la maturation ne démarrera qu'à la naissance, au contact du monde extérieur. En fœtologie, on pense actuellement que le cerveau enregistre, dès ce moment, diverses informations qui lui proviennent des stimuli maternels et du monde extérieur. Il ne s'en souviendra peut-être jamais, mais il est possible que ces premières impressions restent gravées dans son psychisme.

On a cherché à savoir si le fœtus voyait et enten-dait[1]. On sait qu'il ne voit pas ; ses paupières s'ou-vrent mais ses rétines sont inertes[2]. On sait qu'il entend, non seulement des bruits qui lui parviennent de l'extérieur (du moins certains sons isolés qui réussissent à traverser son univers aquatique), mais surtout les bruits émis par l'organisme de sa mère : battements de cœur, bruits intestinaux, voix, etc. Dans des pouponnières expérimentales, au Danemark et en URSS, on a endormi des bébés en leur faisant écouter des rythmes cardiaques diffusés par haut-parleurs, rappels sécurisants de leur vie intra-utérine. Au huitième mois, l'enfant grandit encore. Il pèse plus de deux kilos et mesure quarante centimètres.

Quant à vous, vous êtes maintenant très grosse. Bébé compresse votre estomac et vos poumons. Vous digérez moins bien et vous vous essouflez facilement.

Entre huit et neuf mois, Bébé fait de la graisse. Cela l'embellit un peu, car, jusque-là, il n'était pas joli, fripé, poilu (son duvet s'appelle lanugo, du latin

1. Des expériences récentes semblent indiquer que, dès la 13e semaine, le fœtus produit des mouvements respiratoires.
2. Il saurait cependant faire la différence entre l'ombre et la lumière.

Laine) et gras, car enduit de vernix ; bref, c'était un petit singe. Comme en prévision de l'accouchement, il se débarrasse de tout ça, et, en naissant, il apparaîtra avec la peau rose et bien tendue d'un petit être convenablement nourri. Il pèsera entre trois kilos et trois kilos et demi et mesurera cinquante centimètres.

L'utérus descend légèrement. Vous vous sentez un peu mieux, car sternum et estomac ne sont plus compressés. Bébé s'installe dans la partie la plus étroite de l'utérus, proche du col, tête en bas et pieds en l'air. Il n'a plus qu'à ouvrir la porte, mais ce n'est pas si simple. Nous assisterons à sa descente vers notre monde au chapitre consacré à l'accouchement.

Chapitre VI

Quand le hasard s'en mêle : jumeaux, mutations, tares diverses et fausses couches

Vous êtes enceinte. Vous vous attendez au bout du compte à avoir un enfant. Vous avez quatre-vingt-dix-neuf chances sur cent pour être comblée. Reste une possibilité que la nature vienne déjouer vos projets.

Il n'est pas exclu qu'au lieu d'un, vous ayez deux ou trois enfants. Cela n'arrive pas qu'aux autres !

Et puis, cette grossesse qui s'annonce plus ou moins bien, la nature a peut-être décidé de ne pas la mener jusqu'au bout. Il ne s'agit pas, dans ce chapitre, de vous fournir des sujets d'inquiétude, mais de vous informer. Parce que l'ignorance est encore pire que tout !

  C'est pourquoi nous aborderons ici les fausses couches et leurs causes chromosomiques ou mécaniques, et nous verrons ce qu'on peut faire pour déceler une ta:e située au niveau chromosomique (amniocentèse), les grossesses tubaires et extra-utérines, etc. Dans un autre chapitre, nous traiterons des agents extérieurs (maladies et accidents) qui peuvent venir interrompre la grossesse.

Il arrive parfois qu'au lieu du beau et gros bébé attendu on en voit apparaître deux petits un peu maigrichons : des jumeaux ! Une surprise ? quelquefois. En général, vers le cinquième mois, le gynécologue peut diagnostiquer une grossesse gémellaire, soit au stéthoscope qui lui révèle un double battement cardiaque, soit grâce à l'échographie. Il peut également le deviner au volume de l'abdomen, plus important (mais pas toujours), et en avoir le cœur net par une radiographie faite au cinquième mois.

  Si cela vous arrive, ne vous désespérez pas. Une grossesse gémellaire présente des avantages. On a deux enfants pour une seule grossesse. Que de temps et de peine gagnés ! Et si ce sont de faux jumeaux (les vrais sont rares), vous aurez à élever deux petites personnes très dissemblables, et vous échapperez à cette impression sans doute désagréable d'avoir tiré le même numéro en deux exemplaires.

  La grossesse gémellaire est un peu plus fatigante, et sept fois sur dix, elle s'achève plus tôt. La prématurité à sept ou huit mois est en effet fréquente. L'utérus, trop distendu, expulse son contenu avant terme. Les jumeaux terminent leur maturation en couveuse, et en sortent vaillants et prêts à se défendre aussi bien que les autres enfants.

L'accouchement des jumeaux est souvent plus facile car les bébés sont plus petits (un kilo de moins parfois). Le deuxième profite de l'élargissement du passage quelques minutes après le premier. Le médecin ne le laisse jamais s'attarder.

Pourquoi des jumeaux ?

Vous voulez peut-être savoir maintenant pourquoi vous avez eu des jumeaux ? Sachez que la tendance à ce genre de grossesse est partiellement héréditaire. Il y a sans doute eu d'autres cas de jumeaux dans votre famille.

Sinon, votre âge est peut-être en cause. Plus on vieillit et plus augmentent les risques d'avoir des jumeaux. Après trente-cinq ans, les ovaires libèrent volontiers plusieurs ovules par mois, comme pour multiplier vos chances d'être mère.

La question que vous vous poserez tout de suite après la naissance : sont-ils de vrais ou de faux jumeaux, et comment les reconnaître ? Le médecin qui vous a accouchée peut vous répondre. En tout cas, sachez que les vrais jumeaux sont obligatoirement de même sexe et se ressemblent trait pour trait. Les faux jumeaux peuvent être de même sexe ou de sexe différent. Ils sont nés de deux ovules différents, et chacun a été fécondé par un spermatozoïde. Donc, le bagage chromosomique n'est pas le même.

Dans le cas des vrais jumeaux, il y a eu scission de l'œuf. A la suite d'un phénomène qu'on n'a pas encore pu expliquer, l'œuf fécondé se divise et reconstitue chaque fois son intégrité, emportant en même nombre les mêmes chromosomes. Quand la scission de l'œuf ne se produit pas tout de suite après la fécondation, mais au moment de la nidation, les vrais jumeaux peuvent se développer différemment. Ils ne seront pas de « parfaites copies conformes ». Les deux œufs, pourtant fécondés par le même spermatozoïde, iront éventuellement se nicher à des endroits différents de la muqueuse utérine. Ils auront chacun un placenta et une poche d'eau, alors que, normalement, ils n'ont qu'un seul placenta pour deux.

Il arrive enfin que des jumeaux se développent dans la même poche. Dans ce cas, ils se ressemblent comme deux gouttes d'eau. Ils peuvent aussi avoir un organe en commun, cas des siamois, qui survivent rarement à l'accouchement, bien qu'on soit capable aujourd'hui de réaliser des prodiges dans ce domaine.

Et des triplés ?

Quant aux triplés, ils sont très rares — une naissance sur six mille quatre cents —, et les quadruplés, cent fois plus rares encore. Ce qui se passe ? Il s'agit soit d'une ovulation multiple avec chaque fois fécondation, soit encore d'une scission de l'œuf en trois avec une seule fécondation, soit, enfin, d'une scission de l'œuf en deux plus une fécondation sur un deuxième ovule.

Une conception manquée

Comme vous le voyez, la conception d'un enfant est un phénomène complexe. Il peut se passer toutes sortes d'incidents au cours des diverses opérations qui la composent. Parlons pour commencer des conceptions qui échouent.

Pour qu'une fécondation soit réussie, il faut qu'un grand nombre de conditions soient réunies. En général, la nature se débrouille pour les réunir toutes. Parfois elle n'y arrive pas.

Pour avoir un enfant, il faut tout d'abord que le spermatozoïde soit au rendez-vous de l'ovule. S'il arrive trop tard, l'ovule se désagrège. S'il arrive trop tôt, il perd ses facultés conquérantes, sa vitalité, et l'ovule ne rencontre que son cadavre. La conception peut être manquée à d'autres niveaux. Lorsque les sécrétions vaginales ou utérines sont trop virulentes, les antispermatozoïdes ont raison des spermatozoïdes, et, pour peu que ceux-ci n'aient pas la supériorité du nombre (il arrive que le sperme s'appauvrisse, par exemple à la suite d'abus sexuels), aucun ne survit à l'assaut des assaillants.

Les hormones, on le sait, jouent un rôle important dès le départ. Si la folliculine fait défaut, par exemple, l'ovule est inapte à la fécondation. Idem pour la progestérone dont la fonction est indispensable pour mener la gestation jusqu'à terme. Il y a encore stérilité lorsque le milieu n'est pas sain. Salpingites et métrites (trompes infectées) rendent la femme stérile, ainsi qu'un fibrome dans l'utérus (sauf s'il est petit), un kyste, une tumeur des ovaires, une endométrite ou inflammation du tissu interne de l'ultérus.

On voit bien, finalement, que la nature n'accepte la procréation que lorsque tous les facteurs de réussite sont réunis. Sachant cela, la crainte que vous avez d'avoir un enfant anormal devrait se dissiper plus aisément. Les malfaçons sont rares. La nature effectue une sélection impitoyable. Les biologistes ont pu constater qu'un œuf malformé s'élimine en général de lui-même dans les premiers mois de la conception. Il peut continuer à se développer, mais sa route sera brève, et l'embryon éjecté lors d'une fausse couche. Dans son livre : *les Premiers jours de la vie*, Claude Edelman[1] écrit : « Dans l'espèce humaine, très peu d'œufs malformés se développent, en sorte qu'on ne compte que huit embryons qui sont atteints sur cent. Et, de nouveau, la nature élimine ces derniers rescapés. Le milieu maternel éjecte sept de ces huit pour cent par avortement spontané. Cette régulation naturelle élimine ainsi en plusieurs étapes la presque totalité des « ratés » de la fécondation. C'est la raison pour laquelle celle-ci, qui est une opération difficile et compliquée, finit par donner des enfants splendides. »

Malheureusement, il est des enfants qui passent à travers ce tri : un pour cent des nouveau-nés sont anormaux ou handicapés, victimes d'un accident dont personne n'est responsable puisqu'il se produit au niveau des chromosomes, pendant la *mitose* par exemple, lorsque les cellules se divisent. Pendant ce mouvement chromosomique, un accident peut se produire. Un chromosome refuse de se disjoindre, un autre se casse ou se perd. Et c'est la catastrophe. Personne n'y peut rien. La transmission génétique échappe au contrôle des procréateurs.

1. Editions Taillandier, 1973.

Accidents de nidation

Outre les accidents de la fécondation, qui, selon les statistiques, font échouer une conception sur deux sans que l'on en ait conscience, il peut survenir des accidents au cours de la nidation, période où l'œuf s'installe dans la muqueuse utérine. C'est le cas de la **grossesse tubaire**. L'œuf se niche dans la trompe et s'y développe jusqu'au troisième mois. Ensuite, devenu trop volumineux, il est expulsé. Parfois, il provoque un éclatement de la trompe suivi d'hémorragies abondantes. Il faut intervenir chirurgicalement.

Autre erreur de la nature : la **grossesse extra-utérine**[1]. Par on ne sait quelle aberration, l'œuf va faire son nid hors de l'utérus, sur un des organes voisins. Dans ce cas, le médecin doit pratiquer une laparotomie explorative, c'est-à-dire inciser l'abdomen sous lequel se trouve l'enfant généralement mort et entouré de ses membranes. Ce phénomène se produit rarement.

Enfin, il peut arriver que l'œuf se fixe trop bas dans l'utérus, près du col. Le bébé se développe normalement, mais l'accouchement se révèle difficile et dangereux. Toute la masse charnue et pleine de sang du placenta obstrue le col et empêche l'enfant d'amorcer sa descente. Il faut déceler un cas de « **placenta praevia** » (praevia : en avant, sur le chemin) avant le déclenchement de l'accouchement et procéder à une césarienne pour éviter tout risque d'hémorragie incoercible qui mettrait en péril la vie de la mère aussi bien que celle de son enfant.

1. Le nom de grossesse extra-utérine est également donné à la grossesse tubaire. La trompe n'est pas l'utérus.

Les ressources des nouvelles techniques

La Science n'est pas sans moyens devant le déroulement problématique d'une grossesse.

Certes, les généticiens ne sont pas encore capables d'intervenir pour remplacer un gène ou un chromosome défaillant. La Recherche s'y applique depuis de nombreuses années. Jusqu'à présent, sans succès, du moins autant qu'on puisse le savoir... Mais si la « manipulation génétique » devenait un jour réalité, elle constituerait une arme aussi dangereuse que secourable. Des romans de science-fiction ont dénoncé à l'avance les abus qui en découleraient, presque inévitablement. Leur message peut être pris au sérieux.

Pour l'heure, ce que l'on peut faire, dans les cas où l'on redoute une malformation du fœtus ou un quelconque problème compromettant la grossesse ou le déroulement de l'accouchement, se situe à trois niveaux.

L'eugénie

Certains hôpitaux des grandes villes proposent aux futures mères des consultations d'eugénie, c'est-à-dire, pour parler simple, d'examiner leurs antécédents génétiques. Y sont conviées les femmes qui ont eu dans leur famille ou celle de leur mari, des cas de mongolisme, d'hémophilie, de phénylcétonurie, de débilité mentale ; bref, celles qui ont des raisons sérieuses de craindre que le bébé qu'elles portent, ou qu'elles envisagent de porter, sera anormal. Un dossier est constitué, avec calcul des probabilités. La candidate à la maternité en ressort informée ou perplexe. Si elle décide de mener une grossesse jusqu'au bout (en toute connaissance des risques encourus), elle devra la surveiller très attentivement.

L'échographie

L'échographie constitue actuellement le moyen le plus couru de surveillance de la grossesse. Cette technique recourt à l'utilisation des ultra-sons, imperceptibles à l'oreille, mais ayant la faculté de renvoyer lors de leur émission un écho très précis des obstacles qu'ils rencontrent. L'étude des multiples échos recueillis au cours d'une séance et matérialisés sur un écran renseigne le spécialiste, (presque) aussi bien que le ferait une caméra sur ce qui se passe dans l'utérus d'une femme enceinte.

L'échographie permet de situer la place ee l'embryon, son volume, la forme du squelette du foetus, son tube digestif, son cœur, d'évaluer le rythme cardiaque, l'état d'avancement dans la formation du système nerveux et sanguin, et enfin d'être renseigné sur la nature du sexe. Encore que cette dernière information soit sujette à caution dans les premiers temps, le sexe ne se formant qu'à trois mois. Par la suite, selon la position du foetus, il peut n'être pas décelable par les ultra-sons. A sept mois cependant, le praticien peut dire avec 70-80 % de chances d'exactitude quelle est la nature du sexe, féminin ou masculin.

L'examen échographique est un examen simple, indolore. silencieux qui s'effectue en cabinet sombre à l'hôpital, rarement chez un particulier car le matériel est très coûteux. La future mère peut apercevoir sur un écran différentes formes vagues que le praticien « interprétera » pour elle. Elle prendra ainsi davantage conscience des événements qui se déroulent dans les profondeurs de son corps. Si le mari assiste à l'examen, il peut lui aussi visualiser cet être fantomatique qui deviendra un jour son enfant.

Au cours de ces dernières années, l'échographie s'est beaucoup banalisée, d'autant mieux que l'examen est remboursé par la Sécurité Sociale, tant et si bien que cet organisme a dû y mettre le holà et n'autorise plus désormais que **deux échographies par grossesse, la troisième ne s'obtenant qu'après entente préalable.**

Quant aux répercussions sur le psychisme féminin de cette technologie si facilement accessible, elles restent encore à définir : positives la plupart du temps, surtout quand l'examen indique que tout est normal, mais peut-être parfois négatives quand la grossesse est vécue de manière très fantasmatique. Cette effraction dans le réel gestatif inquiète, choque, bouleverse la femme « immature ».

En conclusion, nous dirons que c'est un bien dont il ne faut pas abuser, ni user à tort et à travers.

L'amniocentèse

Un procédé voisin d'exploration permet d'obtenir sur le fœtus qui se développe dans le ventre de sa mère bon nombre d'informations, c'est l'amniocentèse. Beaucoup plus délicate que l'échographie et beaucoup moins répandue, elle consiste à ponctionner au moyen d'une seringue spéciale un peu de liquide amniotique dans lequel baigne le bébé. Il faut donc pour cela percer la paroi abdominale, l'utérus et le sac amniotique. Un repérage à l'échographie permet de situer les écueils (comme on le fait pour l'étude des fonds marins), c'est à dire le fœtus. Autour de lui flottent dans le liquide aminiotique des cellules fœtales dotées de noyaux, donc de chromosomes. Ces cellules prélevées et examinées ensuite au microscope électronique avec leurs chromosomes colorés grâce à un produit fluorescent sont riches d'enseignements. On peut compter les chromosomes, repérer un chromosome qui n'est pas à sa place, ou qui n'a pas la forme qu'il devrait avoir, voir s'il en manque un ou si une paire en présente trois, etc... L'analyse permet donc de dire avec certitude si l'enfant sera normal ou pas. En passant, on peut aussi savoir s'il s'agit d'une fille ou d'un garçon. Les filles ont dans leurs chromosomes les gènes XX et les garçons les gènes XY. Il suffit donc d'examiner le groupe de chromosomes concerné.

L'amniocentèse se pratique dans les cas de grossesse problématique, ou de grossesse tardive, à la demande de la mère ou sur décision du médecin traitant. Une demande d'entente préalable doit se faire à la sécurité sociale.

Et quand la grossesse est très, très problématique...

C'est alors qu'on recourt à la *fécondation in-vitro* pour aboutir à ce qu'on appelle le *bébé-éprouvette*. Ils sont déjà plusieurs milliers à travers le monde et se portent bien.

Ce procédé permet de régler un problème tout à fait en amont, c'est-à-dire quand il est d'origine ovarienne. L'ovule recueilli au niveau de l'ovaire de la mère est fécondé en laboratoire sur un spermatozoïde du père puis implanté dans la muqueuse utérine où il poursuivra son développement. Il faut donc pour cela que l'utérus soit en bon état. S'il ne l'est pas, si le problème se situe au niveau de la nidation par exemple, la solution qui se présente actuellement (et défraie la chronique) consiste à recourir à la *mère-porteuse*. L'ovule inséminé est implanté dans l'utérus d'une femme étrangère. Le greffon prend ou ne prend pas. Les cas de réussite absolue sont encore rares et on a couvert beaucoup plus de pages sur le sujet qu'on a fait réellement d'enfants.

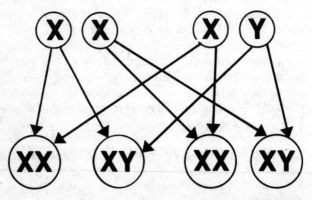

Fig. 3. Hérédité : détermination du sexe de l'enfant par le jeu des chromosomes X et Y.

Chapitre VII

Les lois de l'hérédité et le problème rhésus, ou que léguerez-vous à votre enfant ?

Que léguerez-vous à votre enfant ? Question qui vous passionne, certes, et sur laquelle vous disserterez encore longtemps avec votre mari et votre entourage. A qui ressemble notre fils ? N'a-t-il pas les pieds palmés de son grand-père ? le caractère agressif de sa tante ? A combien se portaient ses chances d'hériter de mes yeux bleus ou des talents musicaux de mon mari ? Etc. Ce chapitre ne vous permettra pas de « savoir d'avance », mais vous donnera matière à échafauder des hypothèses que l'avenir confirmera ou infirmera. Vous ne direz plus jamais après sa lecture : « Mon fils a ça dans le sang ». Vous saurez que le sang n'est pas en cause. Si nous parlons du sang dans ce chapitre, c'est parce qu'il y a une hérédité parmi les groupes sanguins. Nous en profitons pour vous parler du problème de l'incompatibilité sanguine, non pas qu'il ait des chances de devenir le vôtre, mais parce qu'on ne sait jamais...

Les lois de l'hérédité

C'est au moment de la conception qu'a lieu le transfert du patrimoine héréditaire, puisque celui-ci est contenu dans les vingt-trois chromosomes paternels et les vingt-trois chromosomes maternels. Les caractères de base d'un nouvel être résultent vraiment du mixage des caractères du père et de la mère. Du moins d'une partie d'entre eux, puisque les gamètes (ovule et spermatozoïde) ne possèdent que la moitié du bagage chromosomique de toute cellule ordinaire.

Autre chose se produit qui fait que l'enfant ne ressemblera pas obligatoirement à ses parents : dans les paires de vingt-trois chromosomes se trouvent des gènes (on en aurait compté mille deux cent cinquante dans chaque chromosome) de deux catégories, les uns forts et dominants, les autres faibles et récessifs, les premiers dominant les seconds, mais pas toujours. Une fois sur trois, le gène récessif peut avoir le dessus.

Par exemple, vous avez les yeux bleus (gène récessif), et votre mari les yeux noirs (gène dominant). Vos chances d'avoir un enfant aux yeux bleus sont de une sur trois, celles d'avoir un enfant aux yeux noirs de deux sur trois. C'est Gregor Mendel qui a découvert la règle de trois de la transmission de l'hérédité. Au siècle dernier, ce prêtre savant autrichien cultivait des petits pois dans son jardin. Ayant croisé des petits pois à peau lisse avec des pois à peau ridée, il récolta d'abord des pois à peau lisse. Semant cette récolte, il constata qu'elle lui donnait 75 % de pois à peau lisse et 25 % de pois à peau ridée. Il en conclut :
- à l'existence de gènes forts et de gènes récessifs ;
- que les chances de voir ressurgir un caractère déterminé par un gène faible étaient de une sur trois[1].

Ainsi des parents aux yeux bleus pourraient avoir un enfant aux yeux noirs, alors que le gène yeux noirs n'a pas joué dans leur cas, mais figurait dans leurs chromosomes, apporté par un ancêtre plus ou moins éloigné.

On a dénombré 1 250 gènes dans chaque chromosome. Multiplié par 46, cela donne 57 500 gènes qui contiennent le programme de la future personnalité de votre bébé. Tout au moins ce qui fera sa personnalité, si le milieu dans lequel il sera élevé n'avait aucune influence sur lui. Or, on considère que le milieu est responsable au moins à 50 % du devenir de l'individu.

---

1. Les lois de Mendel (1832-1884) ont ensuite été vérifiées et complétées par l'anglais Thomas Morgan, à la suite d'expériences faites sur des mouches à raisin.

Influence du milieu et de l'éducation

Parlons-en, tandis que Bébé sommeille au creux de vos flancs. Vous vous en souviendrez dans quelques années, mais il faut que vous sachiez qu'un être humain n'est pas programmé à l'avance, que vous pouvez faire autre chose que baisser les bras et laisser faire ce que la nature a décidé sans demander votre avis.

Il est possible que votre enfant hérite de l'esprit scientifique de votre grand-père paternel. Si vous êtes vous-même une littéraire et votre mari un mondain au caractère fantasque, vous n'offrirez pas à votre enfant le climat propre au développement de ses dons pour les mathématiques, la biologie ou la physique nucléaire. Il y a une chance sur deux pour qu'il passe à côté de ce qui aurait pu être sa vraie voie. Combien d'adultes aujourd'hui sentent qu'ils se sont égarés, qu'ils étaient « faits pour autre chose », sans bien savoir quoi exactement, qui se résignent ou qui se révoltent ! Vous n'y êtes pour rien. Les parents font en général ce qu'ils peuvent pour que leur enfant puisse un jour « réaliser » sa vie d'homme ou de femme, mais ils ne perçoivent que ce qu'ils peuvent percevoir, en fonction de leur optique personnelle.

Quand il y a rencontre, par contre, entre les dispositions naturelles d'un enfant et son milieu, il se passe ce qui doit se passer. Sa personnalité se construit peu à peu telle que la nature l'a prévue. Il est comme cet oranger qui, planté au bord de la Méditerranée porte de superbes fruits, alors que planté en Irlande il serait resté maigrichon. Au départ, il y a une graine qui contient tout le devenir de la plante, mais la plante ne tiendra ses promesses que si les conditions dans lesquelles elle se trouve placée le lui permettent (eau, lumière, nature du terrain...). Les Américains ont beau importer les meilleurs ceps de Bourgogne pour constituer des vignobles, ils n'obtiennent qu'un mauvais vin, car la nature du sol, l'exposition, l'humidité, l'ensoleillement dont le cep a besoin pour fournir du bourgogne font défaut aux Etats-Unis. Une subtile différence existe entre milieu et éducation. Le milieu agit par suggestion (inconsciemment), l'éducation par contrainte (consciemment). On peut exiger que l'enfant soit un élève studieux. Cela, c'est l'éducation. Mais si l'enfant devient un élève studieux parce que l'ambiance studieuse qui l'environne l'y incite, c'est le milieu qui joue alors. On le devine, le milieu exerce une influence plus forte que l'éducation.

En conclusion, il y a interaction constante entre les tendances héréditaires et le milieu. Nous ne sommes pas programmés par notre dispositif génétique. Nous arrivons au monde avec des dispositions qui seront favorisées ou détruites.

De quoi héritera votre enfant ?

D'abord de vos **caractères physiques.** Vous léguerez à votre enfant votre petite taille, vos cheveux blonds, les yeux noirs de votre mari, la forme de son nez, ses mains carrées et ses grands pieds. Mais vous pouvez aussi lui léguer des caractères physiques que vous avez en réserve dans vos gènes et que vous tenez de votre arrière-grand-mère : ses yeux bleus ou sa conformation longiligne. Pourtant, même si votre mari est un champion cycliste, il ne lui transmettra pas ses mollets. Tout ce qui s'acquiert au cours de la vie ne se transmet pas.

Pourrez-vous exercer une influence sur les caractéristiques physiques de votre enfant ? Très faiblement. S'il doit être de petite taille, vous n'en ferez pas un grand en le forçant à manger. Si ses membres sont courts, les sports d'élongation n'y feront rien, sinon leur conférer de la souplesse. S'il a les cheveux crépus, vous ne pourrez rien faire pour les rendre naturellement lisses, et, s'il les a lisses, pour les faire boucler.

Il est plus difficile d'apprécier la transmission des **capacités intellectuelles**, car celles-ci peuvent se manifester de bien des façons différentes. Un agriculteur peut développer autant d'intelligence pour exploiter ses champs qu'un professeur de Sorbonne pour enseigner la sémantique à ses élèves. L'intelligence ne revêt pas obligatoirement la même forme d'une génération à l'autre. De plus, il peut arriver ce qu'on appelle une **mutation**, ou transformation d'un gène en un gène autre qui sera à l'origine d'un trait totalement inconnu dans la famille, même en remontant plusieurs générations. Cela peut être le cas de cheveux crépus apparaissant soudain dans une famille d'aryens à cheveux plats, par exemple.

Les connaissances acquises au cours d'une vie ne se transmettent pas. Par contre les capacités de mémoire sont transmissibles, même si la mémoire fonctionne un peu comme un muscle que l'exercice entretient et développe. Les **caractéristiques psychologiques** (se rapportant au monde des sentiments) ne se transmettent pas non plus : générosité, bonté, méchanceté, timidité, etc. On ne naît pas bon ou méchant, on le devient.

Les tares héréditaires

On en connaît trois principales :
- **l'hémophilie** (prédisposition aux hémorragies, le sang manquant d'un coagulant, la globuline) qui est transmise par les chromosomes sexuels de la femme à ses enfants de sexe masculin seulement. Aujourd'hui, cette maladie se soigne… et de ce fait, se répand (puisqu'elle est héréditaire !).
- **la mucoviscidose,** transmise par le père ou la mère, et qui se traduit par des troubles respiratoires et digestifs souvent mortels, dus à une impuissance sécrétoire de certaines cellules.
- **la phénylcéthonurie,** due au père ou à la mère, provoquée par l'absence d'une enzyme et qui se traduit par l'arriération mentale. Cette maladie se guérit aujourd'hui si elle est soignée à temps (test de Guthrie).

Particularités plus ou moins héréditaires

Ce sont celles dont on discute l'origine héréditaire. Un cas de **mongolisme**, par exemple, peut se produire dans une famille pour la première fois. Il est dû à une mutation du gène 21. Cependant, on a remarqué des dispositions au mongolisme dans certaines familles.

Le **daltonisme** (incapacité à distinguer le rouge du

vert) est une particularité héréditaire — liée au chromosome X — dont souffrent les hommes et qui n'est transmise que par les femmes. Comme elle est récessive, elle peut disparaître ou sauter plusieurs générations.

Dans certaines familles, on relève de nombreux cas de grossesse gémellaire, ce qui pourrait amener à conclure hâtivement qu'il s'agit d'une tendance héréditaire ; mais d'autres facteurs entrent en jeu, et rien n'a été prouvé.

Le phénomène de l'hérédité joue en ce qui concerne le groupe sanguin. Il existe quatre groupes sanguins : O, A, B et AB. Le groupe O est récessif, les trois autres dominants. Ils vont se transmettre suivant les lois de Mendel. Dans un mariage entre une personne de groupe O et une autre de groupe A, le groupe O a une chance sur trois d'apparaître. Il y a aussi des impossibilités : deux parents de groupe O ne peuvent avoir des enfants de groupe A ou B. Des parents de groupe A ne peuvent avoir des enfants de groupe B.

Les lois de l'hérédité permettent de dire dans 80 % des cas si le père présumé est bien le vrai père, et dans une moindre proportion s'il ne l'est pas. Cette règle est parfois utilisée lorsqu'il y a un problème de reconnaissance de paternité à régler. On cite volontiers le procès de Charlie Chaplin (de groupe O) à qui une actrice tentait d'imputer la paternité de son enfant. Comme elle était du groupe A et son fils du groupe B, Charlie Chaplin ne pouvait en être le père.

Le problème « rhésus »

Selon les statistiques, près de six mille enfants en
gestation sont menacés chaque année par un problème d'incompatibilité entre leur sang et celui de
leur mère.

Mais, direz-vous, les deux sangs ne sont pas en
contact. C'est vrai, et c'est pourquoi le problème
« rhésus » ne se pose jamais lors d'une première
grossesse, mais éventuellement à la suivante, et en
tous cas à la troisième et à la quatrième. C'est au
moment de l'accouchement que du sang de l'enfant
passe, en toutes petites quantités, certes, dans le sang
de la mère par le cordon ombilical. Recevant un
sang qui n'est pas de son groupe, la mère fabrique
pour se défendre des anticorps ou agglutinines d'attaque. C'est le même processus que pour le vaccin.
Quand on vous injecte une pincée de bacilles,
atténués ou morts, votre sang se met aussitôt à
fabriquer des anticorps spécialement armés pour
détruire les bacilles en question. Ces anticorps
resteront dans votre sang en prévision d'une prochaine attaque.

Il se passe la même chose lorsque la mère reçoit
les agglutinines spécifiques du groupe sanguin de son
enfant. Celles-ci lui sont étrangères, donc elle fabrique des antiagglutinines pour se défendre contre
d'autres éventuels assaillants du même genre. Une
deuxième grossesse s'annonce. L'enfant est d'un autre
groupe sanguin que celui de sa mère. Les antiagglutinines croissent en nombre. Vers la fin de la grossesse,
le placenta n'arrive plus à leur faire barrage. Ils
pénètrent dans le sang du fœtus, s'attaquent à ses

globules rouges et en tuent un grand nombre. Le fœtus se retrouve avec un sang affaibli. De plus, les globules rouges libèrent en mourant une substance toxique, la bilirubine, qui s'attaque aux cellules du cerveau où elle cause des lésions irrémédiables.

De nos jours, on laisse rarement les choses aller jusque-là. Le temps n'est plus où les femmes arrivaient à l'accouchement sans avoir jamais rencontré un médecin. Même celles qui ne sont pas riches subissent les trois visites prénatales obligatoires, ne serait-ce que pour toucher les allocations. Dès la première visite, on est en mesure de soupçonner un futur cas d'incompatibilité. Des prises de sang régulières, à partir du sixième mois, permettent de surveiller le taux d'agglutinines hostiles dans le sang. Quand ce taux dépasse la cote d'alerte, on intervient.

Les traitements

On tentait encore, il y a quelques années, la transfusion « in utero ». On faisait passer dans le sang de l'enfant, à travers le ventre de la mère, du sang neuf pour corriger l'anémie. On a renoncé pratiquement à ce procédé délicat pour recourir, soit à l'**accouchement prématuré provoqué**, soit à l'**exsanguino-transfusion**.

Dans le premier cas, l'enfant termine sa maturation en couveuse, après avoir reçu quelques soins. Dans le deuxième cas, le bébé naît à terme. Il a généralement la peau jaunâtre, manifestation visible de la maladie hémolytique. On prélève 80 % de son sang qu'on remplace par du sang de même rhésus que le sien, mais neuf. Cette opération dure moins d'une heure et se pratique sans anesthésie, car elle est indolore.

L'exsanguination et la transfusion se font simultanément au moyen d'une seringue montée sur un robinet à trois voies et plongée dans la veine ombilicale.

Actuellement, 95 % des bébés atteints par l'ictère hémolytique sont sauvés. Il n'y a pas de séquelles, une fois l'anémie vaincue. Dans les cas les plus graves, lorsque le taux de bilirubine est très important (plus de 180-200 mgr par litre) et que la science n'intervient pas, il faut craindre l'ictère nucléaire dont la conséquence est la débilité mentale. En général, tout se passe bien et on considère aujourd'hui le problème des bébés-rhésus résolu. Cependant, la mère qui a eu à surmonter cette épreuve doit, dès le lendemain de son accouchement, réclamer un **vaccin anti-rh.** Il s'agit d'un sérum qui a été découvert en 1960 par le professeur Clark de Liverpool et qui possède la faculté de nettoyer le sang maternel des globules rouges de l'enfant. Ainsi, la maman pourra affronter une nouvelle grossesse avec un sang inoffensif pour son futur bébé.

Mais deuxième grossesse ne veut pas dire deuxième enfant. Une fausse couche ou un avortement comptent autant qu'une grossesse aboutie. Vous ne devez donc cacher ni l'une ni l'autre à votre médecin.

Pour vous rassurer tout de même…

Après vous avoir alertée, je dois quand même vous rassurer. Sur six mille enfants menacés de la maladie hémolytique (sur huit cent cinquante mille naissances annuelles, peut-être un peu moins puisque la natalité baisse), quatre-vingt-quinze pour cent d'entre eux sont sauvés. Vous ne compterez pas le vôtre dans les cinq pour cent qui restent si vous prenez vos précautions, et les paragraphes qui précèdent n'ont pas d'autre but que de vous y inciter.

Le cas d'incompatibilité ne se présente que quand la mère est de rhésus négatif et le père de rhésus positif, en général de groupe O. Mais, même si vous êtes dans ce cas, vous n'avez que dix possibilités sur cent d'avoir un problème. *La menace est latente*, elle ne se réalisera peut-être pas, mais peut-être si. Le vaccin anti-rh, après une première grossesse, vous mettra à l'abri des inquiétudes. N'oubliez pas qu'il doit vous être injecté dans les trois jours qui suivent l'accouchement.

Et pour compléter votre information

Le mot rhésus vient du nom des singes macaques dont les globules rouges sont identiques à ceux de l'homme du point de vue de leur capacité à se faire agglutiner par les agglutinogènes. La découverte du facteur rhésus, longtemps inconnu, est due aux savants Landsteiner et Wiener, qui s'étaient penchés sur les problèmes de rejet du fœtus par l'organisme maternel. Que signifient **rhésus positif** et **rhésus**

négatif ? A l'intérieur d'un même groupe sanguin, A ou O, par exemple, les agglutinines existent en plus ou moins grande quantité. Quand il y en a beaucoup, on dit que le rhésus est positif (+), et quand il y en a peu, qu'il est négatif (−).

Troisième partie

Neuf mois d'attente sans passivité

Chapitre VIII

Votre grossesse : tout ce qui va changer en vous

Naturellement, à partir du moment où le corps maternel prend en charge ce greffon humain qu'est le futur bébé, il se passe un certain nombre de choses en lui. Plus rien ne fonctionne de la même manière qu'avant. Vous vous en rendrez plus ou moins compte. Cela dépend de votre personnalité physique aussi bien que psychologique. Comme il faut que vous sachiez à quoi vous attendre, nous récapitulons dans ce chapitre tout ce qui va changer en vous, ou plutôt tout ce qui « peut » changer en vous. Car rien n'est systématique et chacune vivra sa grossesse à sa manière.

Il faut bien le reconnaître, les jeunes femmes d'aujourd'hui ne vivent pas leur grossesse comme celles d'hier. On les voit marcher dans les rues, courir les magasins, se rendre à leur bureau, partir en week-end d'une allure alerte et dégagée. Sous leur tunique, on devine le ventre rond. C'est le seul signe révélateur de leur état. Point de cheveux plats ni ternes, de teint grisâtre, de reins trop cambrés, de jambes gonflées, d'embonpoint déformant, de mine abattue et résignée. Maquillées, coiffées, vêtues de robes de grossesse pimpantes et même parfois de blue-jeans (spéciaux, avec un montage de ceinture élastique et des lacets pour suivre la progression du ventre), elles n'ont vraiment pas l'air d'accorder aux métamorphoses qui se produisent en elles une grande importance. Heureuses au fond d'elles-mêmes d'abriter un petit dans leurs flancs, elles vaquent à leurs occupations, continuent de se passionner pour les sujets qui leur tiennent à cœur, n'importunent pas leur entourage avec des confidences sur leur constipation chronique ou l'apparition de vergetures autour de leur nombril. Désinvolture charmante, certes, mais qu'on ne s'y trompe pas, elle n'est qu'apparente. Derrière ces fronts lisses, tout un « modus vivendi » de grossesse a été établi. La prudence règne en maître derrière chaque acte quotidien ; chaque décision a été mûrement réfléchie. On ne peut pas dire que ces jeunes femmes soient fortes de l'expérience de leurs mères (elles en auraient plutôt à leur apprendre) ; elles sont simplement « informées », et bien informées ; et, soutenues par les nouvelles structures sociales mises en place pour assister la maternité, elles se trouvent dans une sorte d'état psychique supérieur ; bref, elles « utilisent » leur grossesse comme une aventure enrichissante et stimulante.

Avoir un enfant est une entreprise qu'elles mènent tambour battant, jusqu'aux derniers instants. Dans les salles d'accouchement, on entendait autrefois des hurlements de bête qu'on égorge. Aujourd'hui, plus rien. Quelques plaintes, quelques cris qui ne traversent pas obligatoirement la cloison, qui n'envahissent pas le couloir d'attente où un mari impatient grille cigarette sur cigarette, la conscience pas très tranquille. D'ailleurs, le mari se trouve de plus en plus souvent auprès de sa femme. Dès le départ, il prend ses responsabilités d'amant et de futur père à bras le corps. Pas de doute, il y a quelque chose de changé dans la maternité.

Pour être juste, disons que le tableau n'est pas toujours aussi parfait. Il n'y a qu'une minorité de « femmes agissantes » qui nous l'offre pour l'instant, mais le mouvement est lancé, l'exemple donné, et d'ici quelques années, la majorité des candidates à l'accouchement se comportera avec la même vaillance et la même sérénité. L'émancipation de la femme, ce n'est pas seulement des discours, des banderoles, des droits sociaux, professionnels et légaux, c'est aussi une prise en charge de la femme par elle-même, non seulement de sa féminité mais aussi de sa condition de femme. Donner la vie, avoir des enfants, perpétuer la race font partie de cette condition. Il n'y a pas de raison pour que les femmes ne l'assument pas aussi parfaitement que possible, en s'entourant de tous les moyens qui leur permettent de mener à bien leur mission et qui la leur facilitent.

La femme a toujours été un être moralement fort

et physiquement résistant. Depuis que la société desserre ses entraves, en réponse à ses revendications, elle s'épanouit avec plus de bonheur, parfois avec agressivité, mais l'agressivité, dans un premier temps nécessaire, ainsi que la provocation, se transforme par la suite en efficacité, autorité, supériorité.

La nouvelle sérénité qu'affiche la femme enceinte à l'égard de son état ne signifie pas qu'elle n'est pas consciente, ou qu'elle ne ressent pas les modifications qui transforment peu à peu son corps, ni qu'elle n'est pas la victime discrète des divers troubles qui accompagnent généralement la grossesse.

Quels sont ces troubles, ou plutôt que peuvent-ils être, car il arrive qu'ils se manifestent de manière si atténuée qu'ils sont à peine ressentis comme une gêne.

Troubles de la circulation sanguine

Pendant la grossesse, le débit sanguin s'accroît de près d'un tiers de son volume habituel. Le sang doit en effet alimenter deux systèmes circulatoires, celui de la mère et celui de l'enfant. De ce fait, le cœur est mis à rude épreuve puisqu'il doit pomper plus fort. Cette augmentation du flux sanguin peut se manifester par des **hémorroïdes**, des **varices**, une hausse de la **tension artérielle**.

Les **hémorroïdes**, dues également à la constipation, sont des petits vaisseaux sanguins éclatés autour de l'anus. Pour se les éviter, la femme enceinte devra user de légers laxatifs de composition végétale et ne pas manger de mets trop épicés qui échauffent le sang. Pour les soigner, on emploie des pommades à base de marron d'Inde.

Les **varices** sont dues à des difficultés circulatoires dans les membres inférieurs. On a intérêt, pendant la grossesse, à ne pas entraver cette circulation par des vêtements qui serrent — gaines, panties, bas — et à se relaxer, plusieurs fois par jour, jambes surélevées. Il existe des bas antivarices qui peuvent aider. Il faut bien vider la jambe en enfilant le bas, pieds en l'air.

Quant à la **tension artérielle**, elle doit être maintenue basse. Cela réclame de réduire la consommation de graisses et de sel, plus, peut-être, quelques médicaments. *En cas de tension élevée, il ne faut pas tarder à voir un médecin. Il y a danger.*

Troubles de la digestion

Les troubles de l'appareil digestif, fréquents pendant la grossesse, proviennent du système neuro-végétatif qui règle, entre autres, le fonctionnement de la digestion. Il faut en parler, de ce système *neuro-végétatif*, car il est à l'origine de nombreux troubles de la grossesse. Ce nom recouvre nos deux systèmes nerveux, le *sympathique* et le *vague*. L'un règle les fonctions qui échappent à notre contrôle (circulation, respiration, digestion, évacuation), l'autre celles qui sont sous notre contrôle, derrière chaque geste que nous décidons d'accomplir. Or, pendant la grossesse, notre vie végétative se modifie, puisque toutes les fonctions du corps sont modifiées. Le *vague*, par contre, ne se transforme pas. Il y a donc déséquilibre entre ces deux systèmes nerveux qui, jusqu'à présent, cohabitaient en harmonie. Quand le *vague* se met au diapason du *sympathique*, tout va bien. Quand il ne suit pas, il y a nausées, fatigues, troubles cardiaques, divers malaises, vomissements, maux d'estomac, envies, dégoûts, etc. Contre la **digestion lourde** et les **brûlures d'estomac**, il n'y a pas grand chose à faire, sinon manger des plats simples et multiplier les prises d'aliments. Le médecin peut éventuellement prescrire un médicament.

La **salivation excessive**, surtout en début de grossesse, est désagréable et peut provoquer une inflammation des gencives, encourager les caries à se former ou à se développer.

Nausées et **vomissements**, également dus au dérèglement du neuro-végétatif, cessent vers la fin du troisième mois. Certains spécialistes pensent que ce phénomène est lié à une légère intoxication provoquée par les déchets de l'embryon qui passent dans le sang maternel. Avec la formation du fœtus disposant d'un placenta pour filtrer ses déchets, les nausées ne se produisent plus. Théorie qui ne semble pas tenir compte du fait que certaines femmes n'éprouvent aucune nausée et que d'autres continuent à en avoir jusqu'à la fin du neuvième mois.

Quand les **vomissements incoercibles** se prolongent au-delà du quatrième mois et empêchent la mère de conserver toute nourriture, il faut consulter un médecin. Pour diminuer la sensation de nausée, il est recommandé de manger des biscuits, des pommes, des œufs durs, le matin au lever et le soir au coucher.

Les **envies** de manger certains aliments et les **dégoûts** inspirés par certains autres sont surtout psychologiques et trahissent un besoin d'affection dans bien des cas, mais non dans tous[1]. Le mari a toujours intérêt à satisfaire les premières et à respecter les seconds. Ce sera sa façon à lui de sympathiser avec la grossesse de sa femme. S'il ne peut matériellement satisfaire une envie, qu'il ne se fasse pas de souci : cela n'aura aucune répercussion sur l'enfant. Une envie de fraises non satisfaite ne laisse pas de traces rouges sur la peau (ces angiomes ont une autre origine) !

Troubles de l'évacuation

Parlons d'abord de la **constipation**, si fréquente pendant la grossesse. Elle est due indirectement à la progestérone qui bloque les muscles de l'utérus (pour l'empêcher de se contracter). Ceux de l'intestin tout proche en pâtissent, et comme le brassage des aliments est nécessaire à l'évacuation, l'intestin devient paresseux. Comme remède, on peut employer des laxatifs doux d'origine végétale.

Les reins se fatiguent beaucoup pendant la grossesse car ils ont à éliminer plus de déchets. Quand ils ne font pas face à cet accroissement de travail, on voit apparaître de l'albumine dans les urines de la mère. Comme la **tension artérielle** et la fonction rénale vont souvent de paire, il y a risque d'intoxication ou de **toxémie gravidique**.

La vessie est comprimée par l'utérus au début de

---

1. Un réflexe de l'hypophyse destiné à protéger l'organisme contre une ingestion malencontreuse ou néfaste à l'embryon n'est pas exclu.

la grossesse. D'où le fréquent besoin d'uriner qui peut tourner à la **cystite**. Dans ce cas, il faut recourir à des produits de désinfection des voies urinaires. Après le troisième mois, l'utérus remontant dans l'abdomen, l'envie d'uriner disparaît.

Une autre affection des reins peut se produire, beaucoup plus rare celle-là, la **pyélonéphrite**, due à un colibacille. Cette maladie très sérieuse doit être immédiatement signalée au médecin qui fera analyser vos urines.

Troubles respiratoires

Le système respiratoire subit lui aussi le contre-coup de la grossesse. Dans les premiers mois, ce sont les **vertiges** et les **palpitations** qui peuvent aller jusqu'à l'évanouissement. Il n'y a rien d'autre à faire qu'à se ménager, à s'allonger quand l'étourdissement s'annonce. Il faut éviter de fréquenter les lieux qui manquent d'air et où l'on se bouscule, comme les grands magasins et les supermarchés.

Dans les derniers mois, l'utérus vient comprimer les poumons, d'où naît une difficulté à respirer largement. Cela explique **l'essoufflement** fréquent de la future mère lorsqu'elle a un effort à accomplir et ses malaises lorsqu'elle se trouve dans des pièces mal aérées.

Troubles musculaires

Le système musculaire et le squelette qui le supporte

subissent aussi des modifications. Il y a d'abord la **lordose lombaire**, cette courbure exagérée de la colonne vertébrale en fin de grossesse, due au poids du ventre qui a déplacé le centre de gravité de la mère. Il y a les **crampes** qui sont dues à la contraction des muscles, aux troubles circulatoires et à une légère insuffisance de calcium, celui-ci étant partiellement consommé par le fœtus. De cette décalcification peuvent naître des ennuis dentaires et des chutes de cheveux.

Ainsi énumérés, tous ces maux (ou, plutôt, maux en puissance) peuvent donner de la grossesse une idée plutôt angoissante. Dans les faits, ils sont très atténués si l'on observe une bonne hygiène, si l'on va voir souvent son médecin pour qu'il vous aide à corriger tout ce qui peut être corrigé. Et un moral à tout casser les fait complètement oublier ! Seules, celles qui ont tendance à geindre et à s'apitoyer sur leur sort les ressentent vivement... quand elles ne se les « fabriquent » pas de toutes pièces !

Le poids

Un problème pour vous : ne pas prendre trop de poids. Non pas ne pas en prendre du tout, car c'est une impossibilité... ! L'état de grossesse rend les tissus de la femme enceinte spongieux, et cet amollissement des chairs sera utile le jour de l'accouchement. La rétention d'eau est inévitable, autorisée, mais attention, pas d'excès en ce sens ! On obtiendrait l'effet contraire, une moindre résistance des tissus à l'accouchement. Cette eau (entre deux et trois kilos) sera éliminée dans les premiers jours de l'accouchement. A ce moment, disons que vous éliminerez près de huit kilos, soit un kilo d'utérus, les trois kilos et demi du fœtus, un litre et demi de sang, le placenta, le liquide amniotique. Il faut compter aussi avec le poids des seins et de l'eau retenue dans les tissus. Vous avez le droit de prendre trois ou quatre kilos de plus, mais pas plus, ce qui vous mène à douze kilos au-dessus de votre poids normal.

Au cours de ces dernières années, on abaissait ce chiffre à neuf-dix kilos. Puis, on s'est aperçu qu'il y avait probablement *un rapport entre une prise de poids trop limitée et la prématurité*. Le docteur Leroy a donné les chiffres suivants, lors d'un récent congrès à Monaco sur le *Danger de naître* : il y a vingt et un pour cent de prématurés pour une prise de poids inférieure à quatre kilos et demi. Donc il faut trouver la juste mesure, ne pas vraiment manger pour deux, comme on le faisait autrefois, mais ne pas non plus vivre avec les yeux fixés sur la balance, comme en temps normal quand le souci de votre ligne vous préoccupe.

Modifications génitales

Bien sûr, l'utérus se transforme complètement, puisque cette poche de cinq à sept centimètres atteindra en fin de grossesse cinquante centimètres de long. Mais il se produit aussi des modifications légères au niveau du vagin et de la vulve. Les muqueuses de celles-ci, les petites lèvres et les nymphes brunissent plus ou moins, comme les aréoles des seins dont elles ont d'ailleurs à peu près la même constitution tissulaire. Peu avant l'accouchement, et surtout pendant, la vulve s'aplatira et s'assouplira pour faciliter le passage du bébé.

Quant au vagin, il accroît ses sécrétions antimicrobiennes pour faire barrage à tous les agents extérieurs mal intentionnés, et il est assisté en cela par le **bouchon muqueux** qui protège encore le col de l'utérus. Cela n'empêche pas des **pertes blanches** d'apparaître. Si elles sont légères, il n'y a pas lieu de s'en inquiéter. Si elles sont abondantes et malodorantes, cela signifie qu'il y a une infection des voies génitales, et il faut alerter le gynécologue.

Chapitre IX

Sachez protéger votre beauté

Nous envisageons dans ce chapitre tous les moyens qui sont en votre pouvoir pour éviter que votre grossesse ne laisse sur vous quelques traces disgracieuses : vergetures, chairs amollies, seins tombants, taches sur la peau, dents abimées, etc.

Comment préparer le retour de votre beauté, et aussi comment rester belle en étant enceinte (car il y a une beauté de la femme enceinte !). Là encore, vous le verrez, l'esprit joue sur la matière un rôle prépondérant et fait plus que toutes les armes que vous emploierez pour protéger vos atouts de séductrice.

Eh oui, tout ce qui fait partie de votre beauté sera mis à rude épreuve durant votre grossesse ! Ainsi de votre taille de guêpe, votre poitrine de jouvencelle, votre ventre de sportive, vos chevilles fines, vos cheveux souples, votre teint... ! Tous ces attributs subiront les répercussions logiques des perturbations qui se produisent à tous les niveaux de votre organisme, et qui ont été énumérées dans le chapitre précédent. Ce seront des dégradations provisoires, du moins si vous le décidez, et non irrémédiables. Vous avez bien dû remarquer autour de vous de ces femmes au corps lisse et mince, dont on ne peut absolument pas deviner qu'elles ont subi l'épreuve d'une ou, même parfois, de plusieurs grossesses. Il n'y a pas de miracles, même si chaque femme possède sa nature propre, l'une avec une tendance à l'embonpoint, l'autre aux vergetures, la troisième à une faiblesse en calcium. Vous sortirez indemne de votre grossesse si vous le voulez vraiment (en tout cas à quatre-vingt-quinze pour cent, car la volonté, par exemple, ne peut s'opposer à l'apparition de vergetures).

L'argent importe peu ; seules comptent la volonté, la persévérance et l'information. La volonté, supposons que vous l'ayez ou que vous l'aurez après nous avoir lue. La persévérance est fille de la volonté. Quant à l'information, la voici.

Votre ventre

Il est le premier visé. C'est normal, c'est lui qui abrite votre enfant, et il va se distendre autant que le volume croissant de Bébé l'exigera. Son poids pèsera particulièrement à certains endroits, au-dessus du pubis, sur les hanches, et peut-être si fort que certaines fibres dermiques craqueront et donneront naissance à des **vergetures**.

Peut-on faire quelque chose pour empêcher ces dernières d'apparaître ? Dans certains cas, non. On a beau se soigner, rester vigilante jusqu'à la fin, elles surgissent quand même et ne s'en iront jamais plus. On n'en connaît pas vraiment l'origine. Certes, la résistance naturelle des fibres de soutien des tissus joue un grand rôle, mais elle n'est pas seule en cause. Certaines peaux de très bonne qualité se fendillent malgré tout. L'équilibre hormonal spécifique de la grossesse serait peut-être en jeu, les glandes surrénales en particulier.

Que vous deviez ou non attraper des vergetures, faites quand même tout ce qu'il faut pour l'éviter. Ne négligez pas ce problème, vous en serez peut-être récompensée. Les soins consistent en application quotidienne, par massages circulaires, d'une bonne crème nourrissante à la vitamine B. Celle-ci doit être aussi grasse que possible, et l'huile d'olive pourrait faire l'affaire si elle ne sentait pas l'olive et ne tachait pas autant. Vous utiliserez la même crème pour les seins que pour le ventre, car il s'agit de ne pas laisser la peau se dessécher. Huilée, la peau s'assouplit ; et assouplie, elle craque moins facilement. Massez matin et soir. Votre peau doit vous paraître douce et élastique sous les doigts. Il y a aussi la gymnastique antivergetures qui comprend une série d'abdominaux à exécuter tous les matins, sans brutalité, allongée sur un tapis. Plus on fait travailler les muscles du ventre, meilleure est l'irrigation des tissus locaux. Si ceux-ci sont bien nourris, donc solides, la distension des chairs s'en trouve atténuée. La troisième arme pour lutter contre la dégradation plastique de la région abdominale est la surveillance de votre prise de poids. Plus la peau doit se tendre, plus elle risque de craqueler, mais nous parlons de ce problème dans les pages précédentes et nous en reparlerons au chapitre qui concerne votre alimentation.

Les vergetures sont indélébiles. Une fois apparues, rien ne peut les effacer. Elles lézarderont votre peau et témoigneront toujours de votre maternité. Si elles se situent, comme c'est souvent le cas, au-dessus du pubis, le slip de bain les dissimulera.

Au temps où l'on portait une gaine dès ses vingt-cinq ans, il allait de soi de porter aussi une gaine spéciale pendant sa grossesse. Nos grand-mères ne songeaient pas encore à « prévenir » les méfaits de l'âge et de l'embonpoint, elles se contentaient de les dissimuler. Les mentalités ont évolué. Dans le bon sens, heureusement ! Aujourd'hui, on sait qu'une sangle musculaire abdominale naturelle vaut mieux que tous les corsets, et que pour la conserver longtemps il suffit de l'entretenir par la gymnastique et la pratique de quelques sports.

Donc, si vous êtes une digne représentante de cette génération de femmes qui « prend le taureau par les cornes » et qui n'a jamais laissé son corps se défaire dans l'inaction et la mollesse, vous pouvez vous passer de **ceinture de grossesse**. C'est un instrument barbare qui serre toujours un peu trop (même dans le meilleur des cas), qui tient chaud en été, qu'il faut laver souvent (surtout si vous graissez votre épiderme). Quelques abdominaux effectués convenablement tous les matins la remplaceront très bien !

Naturellement, si vous en êtes à votre cinquième maternité et que vous dépassez la trentaine, la gaine ne vous sera pas inutile. Portez-la dès le sixième mois. Pour que la Sécurité sociale la rembourse, achetez-la dans une boutique agréée et présentez la facture à votre centre. Le modèle à lacets offre des avantages, mais il est toujours aussi inesthétique. Normalement, cela devrait vous être égal. Même si vous avez encore des rapports sexuels avec votre mari (ce qu'il faut souhaiter), vous n'en êtes plus aux sous-vêtements érotiques !

Une bonne gaine doit être renforcée au milieu et sur les côtés, bien envelopper les hanches et descendre jusqu'au pubis. Vous l'essayerez sur place. Celle qui vous convient doit vous donner une impression de soulagement, et non de gêne.

Quand vous aurez accouché, votre ventre présentera encore une bosse sous le nombril. L'utérus met deux bons mois à reprendre sa taille normale. Ne vous en inquiétez pas. La peau vous semblera distendue, et, si vous avez beaucoup grossi, la graisse ne disparaîtra pas, à moins que vous ne la fassiez fondre, toujours par les mêmes moyens, régime et gymnastique. Vous aurez droit, pour vous remettre en forme après votre accouchement, à une série de massages, qui vous seront remboursés par la Sécurité sociale, à condition qu'ils soient effectués par un kinésithérapeute agréé.

Votre poitrine

Dès que vous serez enceinte, vos seins gonfleront et durciront pour atteindre leur taille maximale au début du troisième mois. Ensuite, ils conserveront à peu près le même volume jusqu'à l'accouchement, avec peut-être une légère régression vers le milieu de la grossesse. Ce changement de volume n'est pas obligatoirement très important, encore que vous puissiez passer de la taille 85 à la taille 95, par exemple. C'est surtout à l'occasion de la montée laiteuse, après l'accouchement, qu'ils deviendront très gros.

Quand faut-il acheter un nouveau soutien-gorge ? Quand le vôtre ne vous suffira plus, vers le deuxième mois. Achetez-le dans une boutique spécialisée pour future maman, car il ne s'agit pas seulement de changer de taille de soutien-gorge, il faut aussi changer de style. Les modèles qu'on vous proposera visent davantage à être fonctionnels qu'esthétiques. Il s'agit, sans pour autant blesser les épaules, de bien soutenir par au-dessous des seins d'un poids anormal. Prenez des bretelles aussi larges que possible, afin qu'elles ne s'incrustent pas dans les chairs. Vous aurez peut-être envie d'acheter tout de suite un soutien-gorge d'allaitement avec des bonnets dégrafables. Pourquoi pas ? Cet achat sera ainsi mieux amorti.

Ce changement de volume de vos seins va distendre votre épiderme et peut-être provoquer l'apparition de **vergetures** sur les seins. Celles-ci sont plus rares que sur le ventre, mais les soins pour les prévenir peuvent être utiles. Ils sont cependant différents. Les seins ne sont pas soutenus par des muscles comme l'est le ventre, mais seulement par des ligaments suspenseurs sur lesquels il est difficile d'exercer une action extérieure. Pour les empêcher de trop tomber, on peut ajouter à la séance de gymnastique quotidienne deux ou trois mouvements visant à redresser le dos et à éviter que les épaules ne se voûtent.

Contre les vergetures, on a recours à des massages avec une crème. Celle-ci ne peut qu'entretenir la douceur de la peau des seins. Les frictions au gant mouillé et les ablutions à l'eau froide (si on les supporte sans frissonner) font travailler les petites fibres élastiques sous-dermiques et les tonifient. Ce traitement devra être quotidien.

Et puisque nous parlons de la beauté de la poitrine, ajoutons quelques mots sur les risques de dégradation que pourrait lui faire subir l'allaitement. Une telle croyance repose sur des observations superficielles. Après une grossesse, la femme a généralement la poitrine moins ferme qu'avant. La peau a fabriqué des cellules qui ne disparaîtront pas. C'est comme après une cure d'amaigrissement : les chairs ont perdu de leur fermeté, quelquefois le corps flotte dans son ancienne enveloppe comme dans un sac trop grand qu'il n'arriverait pas à remplir. Il en est de même pour la poitrine après une grossesse, que l'on allaite ou pas. Il faut du temps et des soins pour la retrouver à peu près telle qu'elle était (les mêmes soins : crème, ablutions, bon soutien-gorge et sport). Il existe chez Clarins un instrument nommé Lifting Bust qui est tout indiqué pour les soins de la poitrine après la grossesse.

Après plusieurs maternités particulièrement déformantes, vous pourrez recourir à la *chirurgie esthétique* qui, en supprimant l'excédent de peau autour de la glande mammaire, vous rendra des seins de jeune fille, un peu trop fermes même, parfois, ce qui manque de naturel. Après cette opération, très facilement supportable, une nouvelle maternité n'est pas souhaitable. Elle provoquerait un remaniement des tissus au niveau de l'opération et il faudrait tout recommencer.

Une autre question que vous vous poserez sûrement : pourquoi les aréoles de mes seins ont-elles bruni et retrouveront-elles leur teinte normale ? La réponse est oui, au bout de quelques mois ; cette pigmentation due à l'accumulation de mélanine, et de même origine que la ligne sombre que vous verrez se dessiner de votre pubis à votre nombril, s'estompe peu à peu dans la majorité des cas.

Votre peau

Nous avons déjà parlé des débordements anarchiques du pigment brun de la peau. Vers le sixième mois peuvent apparaître des taches espacées autour du front, sur les maxillaires et sur les pommettes. Ces taches se rejoignent ensuite pour former ce qu'on appelle le « **masque de grossesse** ». Autrefois, quand il importait d'offrir aux regards un teint de lys ou de porcelaine, la femme se sentait défigurée. Aujourd'hui, elle se dit simplement qu'elle est bronzée ; et, si le masque n'est pas régulier, elle l'unifie avec un fond de teint foncé. Curieusement, le masque se raréfie dans les nouvelles générations. Une meilleure surveillance médicale et diététique en est sûrement la cause.

Si vous avez ce masque, rassurez-vous, il disparaîtra après l'accouchement, mais pour ne pas l'accuser, évitez les expositions au soleil et supprimez certains fards dont les colorants sensibilisent la peau à l'action de la lumière. Renseignez-vous sur ce point chez votre parfumeur avant de choisir un fond de teint ou un fard à joues.

Il est possible que, pendant votre grossesse, vous fassiez une **allergie** aux fards. Dans ce cas, supprimez-les. Sinon, vous pouvez continuer à utiliser vos produits habituels s'ils sont de bonne qualité. Si vous devez renouveler votre stock de produits de beauté, choisissez-les de préférence dans les gammes dites anallergiques (Phas, Roc, Clinique, etc.).

Si votre peau se dessèche, ce qui arrive parfois, utilisez une crème de nuit très nourrissante. Enfin, sachez que la grossesse peut aussi avoir sur la peau un rôle bénéfique : l'acné, par exemple, disparaît s'il était dû à un excès de folliculine, car celui-ci se trouve alors compensé par la sécrétion de progestérone.

Vos cheveux, vos dents, vos ongles

Nos mères nous ont raconté qu'autrefois les femmes enceintes perdaient leurs cheveux par poignées ; les accouchées offraient le spectacle attristant d'une chevelure sacrifiée, coupée court, sèche et terne. De nos jours, une alimentation équilibrée et des produits capillaires de qualité permettent à la jeune mère de conserver intacts ses cheveux. Si ceux-ci devaient manquer de tonus, ce qui est toujours possible, on les traiterait alors avec des crèmes à l'huile de vison ou à la moelle de bœuf. *Colorations et décolorations* ne sont plus interdites. Mais la touche d'essai, qu'on ne respecte jamais d'ordinaire, doit cette fois être effectuée quarante-huit heures avant l'application du produit. Si une rougeur se manifeste, il faut renoncer à la coloration ou à la décoloration. Votre état, ne l'oubliez pas, vous sensibilise momentanément à certains produits. Ceux dont on se sert pour les *permanentes*, moins agressifs qu'il y a quelques années, doivent être testés de la même manière.

« Un enfant de plus, une *dent* de moins », disait un vieil adage. Ce n'est plus tout à fait vrai, non pas que le fœtus prenne moins de sels minéraux à sa mère — calcium en particulier —, mais l'alimentation en comporte davantage. Dans les menus modernes, une grande place est faite aux légumes et aux laitages. Si une faiblesse calcique devait se manifester, le médecin prescrirait de la vitamine D qui viendrait rétablir l'équilibre.

On l'a dit plus haut, la grossesse réveille volontiers les caries (salivation excessive). L'idéal serait de l'aborder avec une denture absolument saine. De toute façon, on peut aller chez le dentiste quand on est enceinte. L'anesthésie n'est pas interdite s'il faut extraire une dent. On vous demandera peut-être de passer d'abord par un laboratoire pour faire établir votre « temps de saignement » et votre « temps de coagulation ».

En tout cas, pour une meilleure chasse à la carie,

ne négligez pas la brosse à dents : un brossage après chaque repas avec un dentifrice fluoré est nécessaire.

Le manque de calcium, de magnésium et de potassium est également à l'origine des *ongles* qui cassent ou qui s'effritent. Taillez les vôtres au carré, aussi court que possible, et vous serez tranquille. Les natures à tendance allergique supporteront peut-être mal le vernis. Il vaut mieux y renoncer. C'est l'occasion d'arborer des ongles « au naturel ».

Votre silhouette

A partir du quatrième mois, votre ventre commencera à s'arrondir et vous devrez songer à acquérir quelques vêtements spéciaux, indispensables en tout cas dès le sixième mois. Leur ampleur dissimulera vos rondeurs. Quelles que soient vos ressources financières, ne conservez pas vos vêtements habituels. La grossesse n'offre pas l'occasion, comme on le croit parfois, de « terminer » de vieilles robes ou de vieilles vestes, en se promettant une garde-robe nouvelle après l'accouchement. Ce genre de calcul est d'une autre époque. Ne sacrifiez pas cette période de votre vie, ne la mettez pas trop « entre parenthèses ». En l'assumant complètement, sans gêne ni sacrifice, résignation ni renoncement, vous vous sentirez mieux, plus détendue et plus heureuse.

En été, les petites robes de grossesse en coton ne coûtent pas cher. Vous en trouverez à des prix défiant toute concurrence dans les catalogues des maisons de vente par correspondance ou dans les magasins à grandes surfaces. Comme elles ne serviront que trois ou quatre mois, inutile de s'obnubiler sur leur solidité. Achetez-en plusieurs et changez-en souvent pour vous sentir toujours fraîche. Ce sera votre luxe. De nos jours, on ne devrait plus voir de femmes enceintes poussant devant elles un gros ventre sur lequel semble prêt à sauter le dernier bouton d'une veste fripée ou d'un cardigan distendu.

Un récent courant d'idées prétend vous convaincre de ne pas dissimuler votre gros ventre comme une chose honteuse dans les replis d'un peplum. Sans tomber dans les excès de cette promotion ubuesque, qui sent « la réaction à plein nez », chassez de vos pensées toute horreur à l'idée d'être énorme. Il y a dans la rotondité de la grossesse des volumes intéressants non dénués de beauté ni de sensualité. Vous verrez que votre mari éprouvera une certaine volupté à les caresser. Pour une femme moderne, active, dynamique, délurée, le pantalon *jeans* (éventuellement pourvu de laçages sur les côtés pour s'adapter à l'évolution du ventre) constitue la base d'une tenue qu'on renouvelle par des marinières amples, de coloris ou d'imprimés différents.

Ce n'est pas parce que vous êtes enceinte que vous devez vous promener en espadrilles ou en chaussons. Un petit talon est utile pour le maintien de la colonne vertébrale qui aura tendance à se creuser, attirée en avant par le poids du bébé. Songez à corriger votre attitude aussi souvent que possible. Vous pouvez porter des collants, mais renoncez aux chaussettes, aux mi-bas, aux *panties*, bref à tout ce qui serre de la cheville à la cuisse. La circulation de retour, déjà difficile en temps normal, est ralentie du fait de l'accroissement du débit sanguin. Rien ne doit venir l'entraver, sinon vous favorisez l'apparition des varices et des gonflements disgracieux, les unes dues à l'affaiblissement de la résistance vasculaire sous la pression sanguine, les autres à la rétention d'eau. Au moins deux fois par jour, relaxez-vous sur un lit, jambes surélevées. Si vous attrapez des varices pendant votre grossesse, elles doivent disparaître spontanément après l'accouchement. Sinon, pour vous en débarrasser, il faudra recourir à une intervention médicale.

Chapitre X

Votre alimentation pendant neuf mois

C'est là un chapitre important que nous complétons par des tableaux annexes et des planches de suggestions-menus.

Même si vous n'avez jamais suivi de régime de votre vie, ou si les conseils d'ordre diététique vous ennuient, ce qui est votre droit (on a tort de terroriser les femmes en exigeant d'elles la minceur), exceptionnellement, vous devrez surveiller votre alimentation pendant neuf mois, car, cette fois, vous n'êtes plus seule en cause. Il y va de votre beauté, bien sûr, mais aussi de votre santé et de celle de votre enfant.

Manger pour deux !

En surveillant votre alimentation, vous pourrez agir efficacement sur votre santé, sur celle de votre bébé, sur votre aspect physique, et sur le déroulement de votre accouchement. Beaucoup de facteurs sont en jeu, c'est pourquoi nous consacrerons un chapitre à ce sujet, avec l'aide d'une diététicienne, le docteur Madeleine Fievet[1].

Autrefois, les bonnes gens encourageaient la femme enceinte à « manger pour deux », pensant qu'ainsi Bébé naîtrait plus gros, donc mieux équipé pour se défendre dans la vie. Aujourd'hui, on sait que cet argument n'est pas valable. D'abord, Bébé ne prendra pas plus d'éléments nutritifs à sa mère que ses besoins ne l'y incitent. Ensuite, un gros bébé (outre le fait qu'il provoque un accouchement plus difficile) n'est pas obligatoirement un bébé solide, et il peut devenir un enfant ou un adulte obèse, avec tous les problèmes cardio-vasculaires que cela entraîne et qui constituent la tare de l'humanité moderne. « L'obésité de l'enfant commence dans le ventre de sa mère », dit le docteur Fievet. Et elle ajoute : « La fréquence des obésités est d'autant plus grande que le régime à 60 % de calories lipides est administré plus tôt à la femme enceinte. Si votre enfant pèse quatre kilos à la naissance, il risque de devenir obèse, voire même diabétique puisque ces deux affections sont souvent associées. »

Donc, votre but n'est pas de mettre au monde un gros bébé. Il n'y a aucune fierté à éprouver parce que

---

1. Auteur de *Diététique et régime en 10 leçons*, chez Hachette (1975), et de l'*Acupuncture* (collection Que sais-je ?).

son enfant pèse cinq cents grammes de plus que le petit voisin. Il n'est pas, non plus, question de prendre un embonpoint que vous aurez du mal à perdre ensuite. « La femme enceinte doit être mince avec un gros ventre », déclarent les gynécologues, et ils tolèrent une prise de poids de neuf à dix kilos. Nous irons, comme il est dit précédemment, jusqu'à douze kilos s'il se confirme que la prématurité est liée à la prise de poids.

La sensation de faim ne devrait pas être plus vive pendant la grossesse qu'en temps ordinaire. Lorsqu'elle se manifeste avec exigence, elle reflète l'inquiétude de la future mère qui compense et se console en grignotant. Les besoins du fœtus consistent essentiellement en protéines, calcium et fer. Les protéines serviront à l'édification de ses cellules, le calcium à celle de son squelette, le fer à l'enrichissement de ses globules rouges. Les vitamines serviront à synthétiser tous ces éléments nutritifs. Une augmentation du niveau calorique n'est pas indispensable. Si vous avez l'habitude d'absorber ordinairement deux mille calories par jour, vous pouvez passer, selon vos fringales, à deux mille cinq cents.

Jusqu'à présent, la ration calorique quotidienne de la femme enceinte se situait entre trois mille et trois mille cinq cents calories. Elle reste valable pour les femmes maigres et pour celles qui « brûlent » facilement leurs calories tout en restant minces. Ce n'est pas la majorité. La plupart se contentera de deux mille cinq cents calories par jour (trois mille calories au maximum).

Ceci vous aide à vous situer sur le plan calorique, mais vous devez vous dire que les calories, en la circonstance, importent moins que la qualité nutritionnelle des aliments que vous absorbez. Les trois mille calories d'un repas composé d'andouillettes à la crème flambées au calvados et d'un confit d'oie aux haricots ne vous intéressent pas, car elles sont essentiellement apportées par les lipides (graisses). Vous devez prendre votre ration calorique principalement dans les protides que vous trouverez dans la viande, les œufs, le poisson et les laitages. Pour le docteur Fievet, *le régime idéal de la femme enceinte est un régime hyperprotidique, associé dans les deux derniers mois à un régime désodé (sans sel).*

Le régime hyperprotidique

Un régime est dit hyperprotidique quand il comprend plus d'un gramme et demi de protides par kilo de poids et par jour, et lorsque 25 % des calories de la ration alimentaire sont apportées par des protides.

Pour la future mère, il faut plus de cent grammes de protides par jour vers le cinquième mois, cent vingt grammes dans les deux derniers mois (car le fœtus acquiert les deux tiers de ses protides dans les deux derniers mois) et cent cinquante grammes pendant l'allaitement.

Pour réaliser ce régime, on utilise donc au maximum la viande, les œufs, le fromage et le lait. Une augmentation lactée est indispensable, car elle fournit à la fois protides et calcium. Elle est absolument nécessaire chez celles qui supportent difficilement une augmentation de la ration quotidienne de viande et chez les végétariennes. Une insuffisance protidique, malgré le régime désodé, peut provoquer des œdèmes gravidiques. Pour éviter la trop grande richesse calorique du lait, le docteur Fievet conseille d'utiliser du lait écrémé en poudre, 125 cm³ de lait qu'on parfume à la chicorée (laxative). Un verre contient à lui tout seul cinq à six grammes de protides et 0,20 g de calcium pour cinquante-quatre calories.

Un menu-type

Voici le menu-type recommandé par notre diététicienne :

MATIN
- thé + 2 sucres + 4 ou 5 pruneaux trempés dans l'eau la veille et sans sucre ;
- 50 g de pain + 5 g de beurre + 1 cuillerée à soupe de miel (laxatif) + 30 g de fromage type Gouda de Hollande (calcium).

10 HEURES
- un verre de lait écrémé parfumé au café ou à la chicorée.

MIDI
- 100 g de légumes crus (tomates, carottes râpées, etc.) assaisonnés à l'huile d'olive + 150 g de viande + 150 g de légumes verts braisés + 10 g de beurre. 1 fruit frais.

16 HEURES
- 1 verre de lait.

DINER
- 150 g de poisson avec 50 g de riz (avant cuisson) ;
- 1 portion de fromage + flan au caramel.

A la fin de la grossesse, l'enfant remonte presque sous l'estomac de sa mère et comprime celui-ci. Il est recommandé alors de répartir l'alimentation en cinq, six, ou même sept repas, pour que la digestion se fasse plus facilement. On peut déposer sa ration calorique journalière sur un plateau de façon à ne pas la dépasser.

Sur les pages suivantes, vous trouverez un tableau des calories et de la teneur en sodium des aliments, pour vous aider à composer vos menus.

Le régime sans sel

Il est indispensable en fin de grossesse. Voici un exemple de répartition des aliments au cours des vingt-quatre heures.

PETIT DEJEUNER
- thé ou café nature sans sucre + édulcorant ;
- 1 yaourt nature sans sucre + édulcorant + 10 g hyperprotidine (3 cuil. à soupe rases, à acheter en pharmacie)[1].

MATINEE
- eau.

---

1. Préparer avec le mixer une bouillie à l'eau avec l'hyperprotidine. Doser pour la journée.

DEJEUNER
- 30 g de salade verte + assaisonnement paraffine ;
- 100 g de viande maigre ou équivalence, cuite sans matières grasses ;
- 100 g de légumes verts à l'eau sans sel, 3 à 4 cuil. à soupe ;
- 1 yaourt nature sans sucre + édulcorant + hyper-protidine (10 g : 3 cuil. à soupe rases).

APRES-MIDI
- eau.

DINER
- comme au déjeuner mais supprimer le yaourt et l'hyperprotidine.

CONSEILS
- faire trois repas par jour, ne pas en sauter un, ne pas faire d'écarts ;
- boire 1,5 à 2 l d'eau par jour ;
- se peser tous les deux jours, à la même heure, dans la même tenue, après avoir uriné. Au début, peser les aliments sur une balance.

Les aliments à éviter

Voici les aliments à éviter au cours des deux derniers mois de la grossesse :
- boire de préférence du lait déchloruré ;
- renoncer aux fromages faits ;
- ne manger que le jaune de l'œuf ;
- s'interdire les charcuteries, les viandes fumées, les abats ;

TENEUR EN SODIUM DES PRINCIPAUX ALIMENTS
(mg pour 100 g) pesés crus

VIANDES

foie de veau	90	mouton	85	cervelle de veau	110
poulet	80	porc	45	bœuf	85
lapin	45			cheval	65

POISSONS

sardine	760	aiglefin	660	thon	
12 huîtres	470	homard frais	210	(en conserve)	540
truite	80	colinot	80	cabillaud	90
saumon frais	50			brochet	75

FARINEUX

pain blanc	450	biscottes	300	pâtes	12
tapioca	4	semoule	4	riz	2
farine blanche	1				

LEGUMES

choucroute	700	haricot vert		épinards	300
petits pois	270	(cons.)	410	épinards frais	85
carotte	50	céleri-rave	110	pois cassés	40
poireau	25	artichaut	45	endives	20
jus de tomate	20	chou	25	tomate	10
lentille	5	radis	10	oignon	4 à 6
courge	0,1	asperge	2	pois frais	0,9
pommes de terre	0,8	haricot vert frais	1	haricot blanc sec	0,5
		champignons	0,5		

MATIERES GRASSES

margarine	270	beurre	220	huile	0

FROMAGES

gruyère	420	camembert	340	fromage crème	140
œuf entier	130	lait de vache	50	jaune d'œuf cru	26

PRODUITS SUCRES

biscuit	300	chocolat	80	confiture	8 à 15
miel	5	sucre raffiné	0	sucre roux	24

A l'aide de ce tableau
COMPOSEZ LES MENUS DE VOTRE GROSSESSE
(entre 2 500 et 3 200 calories)

ALIMENTS (par 100 g)	calories	ALIMENTS (par 100 g)	calories
bœuf (A, B, C, F, ph, pro)	165	confitures (S)	280
mouton (A, B, C, F, ph, pro)	180	saucisse (gr, pro)	600
veau (idem)	160	pâté (gr)	650
porc (idem)	190	jambon	300
poisson gras (ph, pro)	200	saucisson	680
poisson demi-gras	130	foie (A, B, C, F, ph, pro)	155
poisson maigre (ph, pro)	80	gibier	700
coquillages (ph, gr)	240	nouilles (s)	350
cantal (cal, pro)	380	pommes de terre	90
camembert (cal, pro)	280	riz	340
brie (cal, pro)	290	carottes (A)	45
gruyère	380	chou-fleur	40
yaourt	407	chou vert (K)	40
lait (cal)	70	laitue (A, C, K)	30
lait écrémé	35	épinards (F)	40
beurre (gr)	760	lentilles (Ph, F, S, pro)	350
huile (gr, K)	900	pois (F, ph, S, pro)	300
margarine (gr)	520	haricots secs (F, ph, S, pro)	360
mayonnaise (pro, gr)	460	orange (C)	50
pain blanc (S, pgh)	250	citron (C)	40
pain complet (S, ph)	220	prune	65
cake	600	cerise	65
moka	600	abricot	75
tarte	350	abricot sec	280
biscuit	410	œuf	160
porridge (B, F, pro)	270	pommes, poires	50
sucre	400	tomates (C)	30
chocolat	600	petit suisse (cal)	60

Vitamines
A : pour la croissance
B : pour les nerfs
C : pour les anticorps
D : pour fixer le calcium
K : antihémorragique
F (fer) : pour le sang
Ph (phosphore) : pour les os
Cal (calcium) : idem
Pro (protéines) : pour la vitalité
S (sucre) : pour l'énergie
Gr (graisses) : pour la chaleur

- renoncer au poisson en conserve, aux crustacés et aux coquillages ;
- prendre du pain sans sel ;
- s'interdire toutes les conserves de légumes. Consommer les légumes frais ;
- parmi les matières grasses, seuls le beurre sans sel et l'huile sont autorisés ;
- parmi les condiments : seuls sont autorisés les moutardes sans sel, les cornichons confits sans sel, les fines herbes, l'ail, l'oignon et le vinaigre ;
- les eaux : à fuir : Vichy et Vals, à recommander : Vittel, Evian, Volvic et l'eau du robinet.

Il y a du sel dans le chocolat, les confitures du commerce, les bonbons et les nougats. Le miel et le sucre raffiné sont les meilleurs sucres des régimes désodés.
Nota : puisque tous les aliments contiennent du sel (ion : Na), c'est la plus ou moins grande quantité de sodium qui fait la différence. En supprimant le sel de la cuisine, on en consomme encore de trois à cinq grammes par jour.

Pour bien supporter votre régime, nous vous conseillons :
- de cuire vos aliments aussi souvent que possible avec un autocuiseur. Braiser et griller sont des modes de cuisson qui conservent bien le goût ;
- de recourir à tous les condiments, sauf à ceux qui contiennent du sel ;
- de manger du riz, qui est l'aliment qui contient le moins de sodium et qui apaisera la faim en se présentant sous un volume plus important, ne laissant plus

de place pour les aliments contenant du sodium.

Le médecin prescrira ce régime sans sel (relatif) à toutes les femmes dans les deux derniers mois de leur grossesse. Cependant, si vous grossissez de plus de un kilo et demi par semaine après le troisième mois, vous devrez adopter aussitôt ce régime.

Les mauvaises habitudes

Le café : si vous buvez dix tasses de café par jour, il faudra nettement mettre un frein à cette absorption excessive. Le café est un excitant cardiaque dont l'abus peut entraîner des palpitations, des troubles hépatiques, de l'insomnie ; il peut faire monter la tension artérielle et provoquer l'apparition de l'albumine dans le sang. Ne prenez du café qu'après les repas, il est moins nocif. Le matin, ayez recours au café décaféiné. La théine contenue dans le **thé** ne vaut pas mieux que la caféine. Elle rend nerveux. Il faut en limiter la consommation. On fabrique aussi aujourd'hui du thé déthéiné.

L'alcool pur est à proscrire. Il fatigue le cœur et le foie, et il apporte un nombre considérable de calories inutiles (il y a six cents calories dans un whisky). De plus, il fait du mal à votre enfant. Le foie le dégrade mal, il traverse le placenta, l'appauvrit et agit comme un toxique sur le fœtus. Les bébés des femmes alcooliques sont chétifs, parfois débiles. Vous pouvez vous autoriser du **vin** au repas, mais en quantité raisonnable, et en apéritif, exceptionnellement, des vins cuits genre Martini, des kirs, des vins d'orange, de la sangria. Fuyez tout ce qui dépasse 20°.

Le tabac : ses méfaits sont bien connus en général, mais, chez une femme enceinte, il en commet d'autres. Il favorise la prématurité. *Plus de 33 % des femmes* qui accouchent prématurément fument plus d'un paquet par jour. Les bébés des fumeuses sont plus petits et on n'exclut pas la possibilité qu'ils aient de petites lésions cérébrales, particulièrement sur les centres de la mémoire. On considère que cinq cigarettes par jour sont inoffensives. Les grandes fumeuses peuvent en fumer jusqu'à douze, à condition de mener une vie très aérée.

Les envies et les dégoûts

Nous en avons déjà parlé dans les chapitres précédents. Puisque nous en sommes à l'alimentation, quelques mots encore sur ce sujet. Si vous éprouvez au cours de ces neuf mois des **envies** effrénées pour des aliments qui jusque-là ne vous avaient pas tentée outre mesure, vous pouvez les satisfaire, à condition que les mets en question ne soient pas interdits par votre régime. Il faut éviter les huîtres en fin de grossesse, par exemple, à cause du sel. Dites-vous bien qu'une envie ne correspond pas à un besoin de votre organisme, ni de votre enfant. Elle vous permet surtout de cristalliser sur un objet précis une crainte profonde, parfois inavouée, presque toujours inconsciente. Vous vous débarrassez sur l'objet choisi du trop-plein de cette crainte. Vous n'ignorez pas qu'il y a relation constante entre le psychisme et l'alimentation. L'ennui, la tristesse, l'insatisfaction engendrent généralement la boulimie, et, par voie de conséquence, l'obésité. Le contraire peut aussi se produire, et on perd l'appétit, mais ce phénomène est beaucoup plus rare, sans doute à cause du « bonbon consolateur » de nos chagrins d'enfant.

Depuis une génération, la tendance aux envies pendant la grossesse s'atténue. La future mère reçoit aujourd'hui de son entourage de nombreux réconforts : l'attention de son mari, les soins de son médecin, le respect de ses collègues (si elle en a), l'argent de la Sécurité sociale, les conseils des livres spécialisés et des revues, les encouragements des monitrices des cours d'accouchement sans douleur.

Entourée, soutenue à tous les niveaux, elle s'abandonne moins fréquemment à ces angoisses viscérales qu'ont ressenties nos mères et grand-mères. L'issue de la grossesse, l'accouchement, n'apparaît plus comme une épreuve terrifiante. On sait que les progrès en obstétrique permettent de faire face à toutes les éventualités.

Outre des envies, vous ressentirez peut-être aussi un vif **dégoût** pour certains aliments ou certaines odeurs. Le processus psychologique est le même que pour les envies. Vous serez dégoûtée par les mets que vous aimiez auparavant, les plats en sauce, les carottes râpées ou le café au lait. Une psychologue, Hélène Deutsch, explique le dégoût nauséeux[1] comme « la tendance profonde chez la femme à se débarrasser de cet amas de tripes indifférenciées qui a envahi son corps ». Sans commentaire !

---

1. *Psychologie de la femme enceinte* (éditions P.U.F.).

Le régime après l'accouchement

Le jour de votre accouchement, évitez de manger. Si on doit vous faire une anesthésie, il vaut mieux que vous ayez l'estomac vide. Après l'accouchement, si vous **allaitez**, vous devrez augmenter votre ration jusqu'à trois mille cinq cents à quatre mille calories, car la fabrication du lait en réclame beaucoup. Vous pourrez manger de tout, sauf des aliments qui donnent mauvais goût au lait (ail, oignon, chou, asperges, céleri) et vous boirez de préférence lait et bière. Si vous n'allaitez pas, vous laisserez passer un bon mois avant de vous mettre au régime pour perdre les kilos que vous avez gagnés. Les lendemains de l'accouchement sont suffisamment contraignants pour ne pas s'imposer en plus un régime amaigrissant.

Chapitre XI

Votre vie
de tous les jours

*La grossesse n'est pas une maladie, elle vous impo-
sera néanmoins un rythme de vie différent. Si vous ne
changez pas grand-chose à vos habitudes quotidien-
nes, vous ne devez jamais perdre de vue que vous
portez un enfant dans vos flancs. Cela vous incitera
à regarder sous un autre angle les questions de
sports, de voyages, de vacances, de toilette, de rapports sexuels...*

*Vous ne devrez pas prendre de médicament sans
en parler auparavant à votre médecin, ou sans consulter la « liste noire » que nous établissons à votre
intention dans ce chapitre.*

Garder le moral

L'action tonifie le moral. Alors, ne passez pas votre temps à méditer sur le petit être qui se développe en vous, à observer à la loupe vos premières vergetures, à analyser le moindre malaise, à envisager l'accouchement sous toutes les formes possibles. Si vous avez un métier, continuez à l'exercer jusqu'au septième mois. A partir de ce moment seulement, la Sécurité sociale vous met en congé. Elle a bien raison de ne pas le faire avant. Si vous n'avez pas de métier à exercer, inventez-vous des occupations pour sortir de la routine. Allez au cinéma, au concert, au théâtre, dans les expositions ; suivez des conférences ; écoutez la radio ; regardez la télévision ; lisez des romans policiers ; rencontrez vos amis ; bref, ne chômez pas. Le temps passera plus vite, vous vous enrichirez et vous n'ennuyerez pas votre entourage par une conversation geignarde et limitée aux seuls sujets qui concernent votre état.

Le matin, durant les trois premiers mois, vous aurez peut-être une nausée. C'est un mauvais moment à passer, mais il est inutile d'y intéresser votre mari. Il ne peut rien pour vous, sinon s'attrister. Pour échapper à l'effet débilitant de la nausée, essayez d'entamer votre journée comme si de rien n'était. Ce n'est pas facile, mais on peut y arriver. Si les vomissements matinaux doivent se renouveler dans la journée, demandez à votre médecin un médicament qui vous stabilisera. Normalement, au bout du troisième mois, tout doit rentrer dans l'ordre. Le deuxième trimestre de la grossesse est serein, le troisième l'est moins, à cause de la fatigue que vous occasionne votre poids et de la proximité de l'accouchement. Il est possible que vous ayez une « grossesse sommeilleuse ». Dans ce cas, dormez autant que votre corps l'exige. En règle générale, faites de longues nuits et évitez les veilles qui favorisent l'insomnie. Prenez une tisane calmante et mettez-vous au lit de bonne heure.

En fin de grossesse, évitez de monter les **escaliers** qui vous essouffleront à cause de la compression des poumons par l'utérus et ne portez pas de **charges** lourdes.

A la maison, faites votre **ménage** comme d'habitude, mais en remettant à plus tard les gros travaux tels que le décapage des parquets ou le lessivage des carreaux qui réclament trop de force, de tension et qui vous exposent aux chutes. Naturellement, si vous sentez que vous pouvez le faire, faites-le, mais sans présumer de vos forces ou de vos réflexes qui en fin de grossesse, ne l'oubliez pas, sont ralentis. A propos de ménage, fuyez les **travaux de peinture** autres que la peinture à l'eau. Les peintures à l'oxyde de plomb ont des émanations toxiques.

Les sports

La **marche** constitue le sport par excellence de la femme enceinte. Elle la détend, l'oxygène, entretient sa musculature. Mieux vaut la marche à la campagne qu'à la ville, cela va de soi. Si vous êtes en ville, marchez dans les endroits aérés et les jardins publics.

Le deuxième sport conseillé pendant la grossesse est la **gymnastique** sous surveillance médicale. Il y a des mouvements précis à exécuter pour éviter essoufflement et transpiration. En ville, vous trouverez facilement une salle de culture physique. A la campagne, aidez-vous d'un manuel ou d'un disque.

La **natation** fait travailler la musculature sans efforts brusques. Vous pouvez nager en piscine ou dans la mer jusqu'à la fin du septième mois. Naturellement, il ne faut pas **plonger.** Et évitez les refroidissements en sortant de l'eau.

Si vous avez l'habitude de faire du **vélo**, n'y renoncez pas, sauf à partir du sixième mois. Dès ce moment, votre ventre vous gêne, vous avez moins de souffle, et il vaut mieux ne pas prendre les risques d'une chute qui pourrait provoquer un décollement du placenta suivi d'un avortement. Naturellement, l'année de votre grossesse (pendant et après) : pas de **ski**, pas de **tennis**, pas de **voile**, pas d'**équitation**.

Les vacances

Où passerez-vous vos vacances pendant votre grossesse ? L'idéal, c'est la **campagne**, douce et fraîche, où vous pouvez marcher tous les jours. La **mer**, oui, mais en évitant les bains de soleil prolongés (ce n'est pas le moment d'attraper une insolation) et les bains de mer, sauf si l'eau n'est pas trop froide. Comme vous serez grosse après le sixième mois, pensez que vous n'aimerez peut-être pas vous montrer sur la plage en maillot de bain.

La **montagne** n'est pas à proscrire, l'air y est bon, mais la moindre promenade vous entraîne sur des pentes abruptes où vous vous essoufflerez.

La canicule est insupportable pour certaines femmes enceintes. Ne prenez pas vos vacances en Côte-d'Ivoire ou en Israël cette année-là, vous le regretteriez sûrement. Si l'été survient pendant vos derniers mois de grossesse, vous préférerez sans doute rester à la maison pour préparer l'installation de Bébé. Beaucoup de couples, cette année-là, en profitent pour retapisser les pièces et revoir l'installation du foyer. On a toujours envie de rafraîchir son cadre de vie quand on attend un enfant.

Les voyages

Le moyen de transport idéal jusqu'au huitième mois est l'**avion.** Ensuite, les compagnies d'aviation ne veulent pas prendre le risque d'un accouchement en plein vol. Vous non plus, sans doute. On a dit, à une époque, qu'il n'était pas bon de prendre l'avion pendant les trois premiers mois de grossesse, période de formation de l'embryon. La pressurisation aurait sur lui des effets néfastes. Cette théorie ne semble pas avoir été vérifiée.

Si vous avez le pied marin et n'êtes pas sujette aux vomissements, vous pouvez voyager en **bateau,** rien ne s'y oppose. Il faut vous souhaiter de ne pas affronter de tempête à bord d'un transatlantique. Vous n'avez pas besoin de cet autre type de nausée qu'est le mal de mer !

Dans une **voiture** bien suspendue, vous pouvez parcourir autant de kilomètres que vous voudrez, à condition de vous arrêter assez souvent. Si votre grossesse est fragile, renoncez à ce mode de transport, comme à tous les autres d'ailleurs. Si vous avez déjà fait des fausses couches, évitez de circuler au début et à la fin de la grossesse, ainsi qu'aux dates qui correspondraient à celles de vos règles. L'utérus est moins résistant à ces moments-là, et les secousses se répercutent sur la région pelvienne. Conduisez si vous êtes sûre de vous, mais ne perdez pas de vue qu'un choc à l'arrière peut projeter votre ventre contre le volant. La ceinture de sécurité s'impose tout particulièrement.

Votre toilette

Les échanges à l'intérieur de l'organisme s'étant accrus, une propreté corporelle plus grande s'impose. Une femme enceinte a rapidement l'air négligé si elle ne s'occupe pas de sa toilette avec minutie. Elle transpire plus que d'ordinaire, sa coiffure s'effondre, son maquillage fait plaque, sa peau est moite, des odeurs plus fortes en émanent.

On déconseillait autrefois les **bains** pendant la grossesse. On avait remarqué que la tension artérielle se modifiait, que le corps se trouvait en état de déséquilibre thermique et on craignait que de l'eau sale ne pénètre dans les conduits génitaux. Ces phénomènes se produisent assez rarement, cependant la **douche** reste le procédé idéal pour la toilette du corps pendant la grossesse.

Si vous êtes une fanatique du bain, ne vous en privez pas pour autant. Vous ne risquez pas grand-chose, probablement rien du tout si vous êtes en bonne santé. Des sels de bain ? Oui, pourquoi pas, et le gant de crin, et le lait pour adoucir la peau si vous aimez ! Le **sauna** et le bain turc ou **hammam** fatiguent le cœur et sont déconseillés pendant la grossesse.

Je ne vois rien d'autre à signaler concernant la toilette générale, mais je veux rappeler qu'il faut se laver les **dents** deux fois par jour à cause des caries, et les **cheveux** toutes les semaines seulement, sinon, ils auraient tendance à se dessécher. Si vous devez vous épiler avec une crème dépilatoire, faites d'abord un essai. Les réactions **allergiques** ne sont pas exclues. La cire froide ou chaude serait préférable.

La **toilette intime** sera réduite au lavage externe de la vulve. Les injections vaginales ne sont pas déconseillées, mais doivent être moins fréquentes qu'en temps normal, car il y a toujours risque de pénétration par le col de l'utérus (fermé mais non pas toujours de façon étanche), en même temps que d'eau, de germes pathogènes qui provoqueraient une inflammation de l'utérus suivie d'une expulsion prématurée. Les **pertes blanches** sont normales. Trop abondantes et nauséabondes, elles indiquent une inflammation des organes génitaux qu'il faut faire soigner.

Les rapports sexuels

Allez-vous pendant neuf mois vous priver de rapports sexuels et en priver votre mari ? Non, bien sûr ! La grossesse ne fait pas disparaître le désir, preuve que la sexualité n'est pas liée à la procréation. Il semble au contraire que les nouvelles hormones qui imprègnent la femme enceinte la rendent plus sensuelle. Simplement, vous éviterez les rapports aux dates présumées de vos règles, toujours à cause d'une tendance de l'utérus à se contracter à ce moment-là et, par conséquent, à expulser son hôte.

Au point de vue des risques d'avortement que vous courrez (oh, très minimes !), le deuxième trimestre de la grossesse est celui qui en présente le moins. Au cours du premier trimestre, si l'embryon est mal accroché, il n'aimera pas être bousculé. Au cours du dernier peut survenir un accouchement prématuré, mais il est rare que l'acte sexuel en soit le seul responsable. Tout au plus peut-il être considéré comme un facteur favorisant. Enfin, dans les trois dernières semaines précédant la date de l'accouchement, il est préférable de s'abstenir complètement.

Il est possible que votre état ne vous incite pas à faire l'amour et que vous connaissiez une période de frigidité. Cela arrive plus fréquemment qu'on le croit. Devrez-vous céder aux désirs de votre mari par crainte de le voir s'en aller chercher fortune ailleurs ? C'est à vous de décider. Pourtant, l'amour d'un homme pour la femme qui porte un enfant de lui consisterait à savoir attendre des jours meilleurs.

Les médicaments interdits

Depuis le drame déclenché par la thalidomide, on soupçonne de nombreux médicaments de jouer sur le développement du fœtus un rôle néfaste. Effectivement, certains ne font pas de bien, donc sont franchement déconseillés.

Les **antibiotiques**, par exemple, traversent le placenta et sont plus ou moins mal reçus par le fœtus, à l'exception de la pénicilline, des ampicillines, de l'érytromycine et de la nitrofurantoïne, dont on a pu vérifier l'innocuité. La tétracycline et ses dérivés ne doivent pas être employés pendant le dernier tiers de la grossesse en raison d'un danger de coloration jaune des dents du bébé. **L'aspirine,** en fin de grossesse, peut provoquer des hémorragies à l'accouchement. Au début, on peut en prendre à petites doses.

La plupart des **somnifères** et barbituriques sont nocifs. Les **antidouleurs** (antipyrine, phénacétine, etc.) également, ainsi que les **coupe-faim**, trop souvent à base d'amphétamines. Les **antiémétiques**, pour cesser de vomir, contiennent de la cyclisine ou de la méclizine et sont dangereux, ainsi que les **hypoglycémiants**, les **antiépileptiques** et les **anticoagulants**.

On ne devrait pas avoir à se faire vacciner pendant la grossesse. Ces mesures préventives devraient être prises « avant ». Tous les **vaccins** à virus vivants, type Sabin (par scarification) sont interdits. Les vaccins inactivés (par injection), comme le vaccin antitétanique, sont autorisés et très bien supportés par le fœtus qui en bénéficiera pendant les premiers mois de sa vie.

Les radiographies

Des bruits ont couru il y a quelque temps sur le danger qu'il y a à soumettre un embryon aux rayons

X de la radiographie. Ils sont fondés.

L'alarme est donnée et aucun radiologue digne de ce nom ne fera une radiographie de l'abdomen sur une femme qui n'a pas dépassé le quatrième mois de la grossesse, ou même sur une jeune fille en âge d'être fécondée, dans la seconde moitié de son cycle. Si un bébé était en route, il y aurait risque de malformation ou de fausse couche.

Lors de la première visite prénatale, on vous fera passer une radiographie, mais uniquement des poumons. Elle ne présente aucun risque pour le bébé. Après le sixième mois, si le médecin vous demande une radiographie de votre abdomen, pour voir éventuellement l'emplacement du fœtus, n'ayez aucune crainte.

Chapitre XII

Si la grossesse
se complique

Qu'est-ce qui peut venir compliquer le déroulement habituel d'une grossesse ? Ce sont, soit une maladie qui met en péril la vie de la mère et celle de son enfant, soit un accident.

Dans ce chapitre, nous vous parlons des principales maladies dangereuses, rubéole, toxoplasmose, toxémie, etc., qui sont presque toutes curables si on s'y prend à temps. Un accident peut venir interrompre la grossesse, provoqué par un agent extérieur (chute) ou par un agent interne (insuffisance hormonale), et il y a alors fausse couche ou accouchement prématuré. Ce chapitre doit donc être lu attentivement, et la vigilance s'impose par la suite.

La plupart des grossesses se déroulent sans incidents. Cependant, dans un livre comme celui-ci, on doit envisager les diverses complications qui pourraient survenir au cours de ces neuf mois d'attente et qui mettraient en péril, soit la santé de la mère, soit celle du fœtus, ou qui rendraient l'accouchement problématique.

Les maladies graves

La rubéole

Une question angoisse de nombreuses femmes enceintes : que se passerait-il si j'attrapais la **rubéole** ? Accepterait-on d'interrompre ma grossesse ? Comment m'assurer que je n'ai pas eu cette maladie infantile ?

En fait, la menace que comporte cette maladie pour une femme enceinte, celle de mettre au monde un bébé anormal, a de quoi affoler la plupart des futures mamans. Pourtant, il faut bien se dire qu'à moins d'un malheureux et fort improbable concours de circonstances, les risques d'attraper cette maladie infantile sont minces.

En premier lieu, neuf femmes sur dix ont déjà contracté la rubéole[1] pendant leur enfance et sont de ce fait immunisées. Si elles devaient l'attraper de nouveau pendant leur grossesse, cela n'aurait aucune répercussion sur leur enfant. Aujourd'hui, on a appris à se « planifier » sur le plan familial, et l'on

---

1. Elle se manifeste par une éruption légère de petites taches rouges sur la peau, et un peu de fièvre, symptômes ne durant guère plus de quarante-huit heures.

sait dans de nombreux cas décider à l'avance d'une future grossesse. On a alors toujours la possibilité, trois mois avant l'exécution de ce projet, de se faire vacciner (le délai de trois mois est indispensable). De plus en plus, on vaccine les fillettes qui n'ont pas eu la maladie avant leur puberté.

La période de sensibilisation du fœtus au virus de la rubéole se situe dans les trois-quatre premiers mois de la grossesse, c'est-à-dire pendant la formation de l'embryon. Les risques de malformation s'élèvent alors à 85 %. Le virus, qui n'est pas arrêté par le placenta, s'attaque au cœur, ou au cerveau où il cause divers dégâts, entre autres, cécité, surdité et débilité.

Envisageons tous les cas :
- si vous êtes enceinte et ne vous souvenez pas d'avoir eu la rubéole, un sérodiagnostic en laboratoire vous renseignera. Il s'établit à partir d'une prise de sang ;
- si vous avez déjà eu la rubéole, pas de problème. Si vous ne l'avez pas eue, mettez-vous à l'abri de la contagion ;
- si vous l'attrapez pendant votre grossesse, faites-vous administrer des gamma-globulines ;
- si vous l'avez attrapée au cours de vos trois premiers mois de grossesse et n'avez pas réagi, envisagez l'interruption de grossesse ou courez le risque d'accoucher quand même. Vos chances de mettre au monde un enfant normal sont minimes, mais non pas nulles.

La toxoplasmose

Une autre maladie qu'il vaut mieux de ne pas contracter pendant la grossesse est la **toxoplasmose**. En temps ordinaire, c'est une maladie bénigne. La plupart des gens l'ont attrapée, sans même s'en apercevoir, en mangeant de la viande crue de porc ou de mouton mal cuite (ah, la mode des grillades !) comportant des germes de ce parasite des cellules, le toxoplasme, qu'une cuisson à point aurait détruits. Ils ont pu également l'attraper en mangeant des légumes crus mal lavés ou en vidant la litière du chat, si leurs mains ont été en contact avec les excréments, puis portées à la bouche. L'œuf du toxoplasme se développe en effet dans l'intestin du chat, et les germes en sont évacués avec ses excréments. Une fois dans la terre, ils infectent les légumes, les fruits tombés, d'autres oiseaux, du bétail, bref tout ce qui vient en leur contact.

Si vous êtes infectée par ce parasite, vous ferez courir à votre enfant un risque d'infection congénitale dans une proportion de 40 %. Comment savoir si vous avez déjà eu cette maladie ? Un test, dit « dye-test », ou test par immunofluorescence, qu'on effectue en laboratoire à partir d'une prise de sang, vous renseignera.

- Si on découvre que vous avez déjà eu cette maladie, pas de problème. Vous êtes immunisée.

- Si vous ne l'avez pas eue, mettez-vous à l'abri de l'infection en tenant compte de ce qui est dit plus haut sur les sources de contagion.

- Si vous avez cette maladie, on vous fera un examen sérologique toutes les trois semaines et vous serez mise sous cures répétées de spiramycine. A sa naissance, votre enfant sera lui-même placé sous traitement.

Les autres maladies

La **syphilis**, tout le monde le sait, est une maladie grave en temps normal. Pendant la grossesse, dans 70 % des cas, elle expose le fœtus à la débilité et aux malformations. La visite prénatale du deuxième mois prévoit un test de dépistage, mais si vous deviez l'attraper quand même, sachez qu'on peut vous soigner avec succès à la pénicilline.

La **roséole** (peu de gens le savent), qui ressemble un peu à la rubéole, et qui figure parmi les maladies infantiles bénignes, est en fait une forme cutanée de la syphilis, qui réclame un traitement immédiat, car elle est très dangereuse pour le fœtus.

La **grippe**, en temps ordinaire, se soigne en gardant la chambre. On attend qu'elle passe. Pendant la grossesse, on la traite à la pénicilline. Non pas qu'elle soit devenue spécialement dangereuse, mais comme toutes les maladies infectieuses d'origine virale, elle prédispose à l'albuminurie. C'est si vrai qu'on recommande l'analyse d'urine après une grippe.

Soumettez-vous durant toute votre grossesse à la surveillance de l'albumine, car sa présence est le signe avant-coureur de toutes sortes de troubles, dont le plus grave est la **toxémie gravidique**, ou intoxication généralisée de l'organisme, qui met en péril la santé de la mère et celle de son enfant. Un fort taux d'albumine s'accompagne souvent d'hypertension, d'un mauvais fonctionnement des reins, de crises convulsives, d'œdèmes, d'hémorragies qui rendront l'accouchement difficile. Vous pouvez surveiller vous-même la présence de l'albumine en utilisant un produit pharmaceutique très simple, *Albutix*, papier jaune qui vire au vert au contact des urines infectées.

Tout le monde sait que le **diabète** (excès de sucre dans le sang) rend la grossesse périlleuse. Autrefois, cette maladie mettait en péril la vie de la mère, particulièrement à l'accouchement, et celle du bébé, qui naissait généralement avant terme, tout à fait obèse (cinq à six kilos) et mourait peu de temps après. Il importe donc de se soumettre à tous les tests de dépistage du diabète que le médecin vous proposera, ainsi qu'au régime qu'il prescrira. Si vous êtes diabétique, vous pouvez tout de même avoir un enfant, à condition de vous soumettre à la surveillance continue d'un diabétologue et de suivre un régime alimentaire et médicamenteux sévère.

Il faut rappeler que la grossesse a le don d'accuser toutes les tendances de l'organisme, de réveiller tous les maux qui y sommeillent sans se déclarer. Si vous avez tendance à l'**embonpoint**, vous prendrez beaucoup de poids ; si vous avez tendance à l'**anémie,** vous vous affaiblirez. Si la **tuberculose** vous menace, il n'est pas exclu que vous l'attrapiez (dans ce cas, vous pouvez quand même avoir votre enfant, car le bacille de Koch ne traverse pas le placenta, mais votre bébé sera séparé de vous dès la naissance) ; et si votre **appendice** menaçait de s'enflammer, une **crise d'appendicite** aiguë se déclenchera peut-être. On vous opérera rapidement en recourant à un anesthésique sans danger pour le fœtus.

Si votre grossesse devait s'interrompre…

Une grossesse qui ne « tiendra pas », cela se devine plus ou moins avant le troisième mois. La femme supporte mal son état, se montre agitée et anxieuse, elle perd souvent un peu de sang. Un « vice de forme » est à l'origine de cette situation. La fausse couche qui survient entre le quatrième et le sixième mois, plus rare, affecte davantage celle qui croyait à sa future maternité. Après six mois, on ne parle plus de *fausse couche* mais d'*accouchement prématuré*, avec mort ou survie de l'enfant.

La fausse couche

Pourquoi fait-on une fausse couche ? Le plus souvent, c'est parce que la fécondation est ratée. Il s'agit d'un phénomène de sélection naturelle, manifestant la tendance de la nature à éliminer elle-même les produits de ses erreurs.

Mais une maladie peut aussi être en cause, certaines intoxications (alcoolémie, produits chimiques), un déséquilibre hormonal, une muqueuse utérine abîmée à la suite d'un avortement mal réalisé, une infection de la muqueuse utérine, une malformation congénitale de l'utérus, etc.

Parmi les facteurs qui favorisent la fausse couche,

on a pu noter la durée excessive du cycle menstruel (supérieur à trente-deux jours), les irradiations diverses du bassin.

A quels signes reconnaître l'imminence d'une fausse couche ? A des saignements, à des crampes pelviennes, mais ces signes ne se manifestent pas systématiquement. Une fausse couche peut se produire sans qu'aucun symptôme ne l'annonce. Le médecin, lui, si vous le consultez, pourra vous avertir. Le col utérin s'entrouvre quand une fausse couche s'amorce. Une analyse d'urine confirme la proximité de l'accident (déficit hormonal).

Vous devez appeler immédiatement votre médecin si l'un des troubles suivants se produit :
- Une chute grave, surtout si la future mère tombe dans le coma ;
- une perte des eaux anormale ;
- une hémorragie forte et soudaine ;
- une infection urinaire ;
- une forte fièvre ;
- des douleurs très vives.

Des pertes de sang n'annoncent pas obligatoirement une fausse couche. Elles peuvent être dues à un excès de folliculine.

Un remède possible : le cerclage du col utérin. Comme la fausse couche se manifeste souvent par une béance du col utérin, la science a eu l'idée de s'opposer à l'éjection de l'embryon en pratiquant ce qu'on appelle un cerclage du col. Une grossesse aussi fragile réclame qu'on garde la chambre, allongée, sans faire d'efforts physiques. Un enfant ardemment désiré s'obtient parfois à ce prix.

Lorsqu'une femme, plusieurs fois de suite, n'arrive pas à garder son enfant, il lui est conseillé de faire établir son **cariotype** pour décompter ses chromosomes ; une étude de leur nombre ou de leur forme renseigne sur l'origine de la fausse couche. Si celle-ci a lieu à domicile, il faut conserver tout ce qui a été expulsé afin que le médecin l'examine et tire des conclusions. Souvent, après une fausse couche, un curetage est nécessaire.

L'accouchement prématuré
Vous serez avertie par des contractions douloureuses dans le bas-ventre ressemblant à celles de l'accouchement, quoique moins longues et moins fortes. Puis vous perdrez les eaux. Naturellement, vous devrez immédiatement téléphoner au médecin qui viendra constater votre état. Des douleurs pelviennes et lombaires ne signifient pas obligatoirement qu'un accouchement prématuré s'annonce, mais la perte des eaux et celle du bouchon muqueux (sorte d'agglomérat visqueux et sanguinolant) l'indiquent toujours. Le médecin vous dirigera vers une maternité équipée d'un centre pour prématurés. Votre enfant sera, dès la naissance, mis en **couveuse** et pris en charge par des infirmières spécialisées.

Qu'est-ce qui déclenche l'accouchement prématuré ?
Toutes sortes de facteurs entrent en ligne de compte, principalement une baisse soudaine du taux hormonal, une grande fatigue générale, un mauvais état psychique, le tabagisme, un choc ou une chute grave, certaines maladies.

Un accouchement est dit prématuré lorsqu'il se produit entre le sixième et le neuvième mois de gestation. Un bébé est dit **prématuré** lorsqu'il pèse *moins de deux kilos et demi*. Le poids est le principal critère, ainsi que l'aspect du nouveau-né. Ainsi un bébé né à huit mois, pesant trois kilos, présentant une peau rose et non duvetée, des ongles bien formés, un degré d'ossification du fémur suffisamment avancé n'est pas un prématuré. Par contre, un bébé qui naît à neuf mois incomplètement formé est ce qu'on appelle un **pseudo-prématuré**. Comme le précédent, il terminera sa maturation en couveuse.

Le prématuré de six mois est généralement beaucoup plus fragile que le prématuré de huit mois, contrairement à une croyance répandue. Il a beaucoup à faire pour ressembler à un enfant né à terme, mais les soins spécialisés ont si bien progressé que le handicap peut être comblé. Ses problèmes se situent surtout sur le plan organique. Il respire mal, assimile mal la nourriture. Son sang qui ne contient pas assez de globules rouges l'expose aux infections et aux hémorragies. Il a besoin de beaucoup de chaleur, car il se refroidit très vite. C'est pourquoi, dans sa couveuse, on maintient la température entre 28 et 32°. Il y reçoit encore oxygène, humidité et une nourriture un peu spéciale. S'il est assez fort pour têter, on le met au sein, car rien n'est meilleur pour lui que le lait maternel. S'il ne l'est pas, et que la mère a du lait et veut nourrir son enfant, on emploie un tire-lait. Le lait est donné au biberon, à la cuiller ou au compte-goutte. Si la mère ne veut ou ne peut pas le nourrir de son lait, on utilise un lait maternel collecté par un lactarium. Dans le cas du grand prématuré, on utilise, pour le nourrir, la sonde ; les repas sont légers et nombreux : une dizaine par jour.

Le petit prématuré (de plus de deux kilos) peut être mis dans un berceau, langé chaudement et entouré de bouillottes qu'on renouvelle dès qu'elles sont refroidies.

Posons maintenant la question qui intéresse le plus vivement les mamans concernées par une naissance prématurée : *du fait de sa venue au monde anticipée, mon enfant sera-t-il un enfant comme les autres ?*

A cela, il faut répondre que tout dépend de la cause de la prématurité. Si elle est due à une anomalie chromosomique, à une malformation de l'œuf, à une maladie grave de la mère, à une tare héréditaire, l'enfant sera anormal. Il a d'ailleurs beaucoup moins de chance de survie, d'autant plus que la naissance prématurée d'un enfant anormal se situe le plus souvent vers le sixième mois.

Si la prématurité est due à une fatigue de la mère, ou à un accident, bref, si la cause est d'origine mécanique, l'enfant sera normal et ses chances de survie seront accrues. Ou bien il rattrapera son retard en couveuse, ou bien il ne le rattrapera pas. S'il est très bien soigné, il n'y a aucune raison pour qu'il ne le rattrape pas. Sa vie est entre les mains de ses infirmières.

Que perd un enfant d'avoir été privé de la cohabitation maternelle pendant plusieurs semaines ? Dans les derniers mois de la gestation, on l'a vu, le bébé fait de la graisse, prend du poids, améliore son sang, bref se perfectionne et se « rôde ». En fait, sur le plan organique, il est achevé dès le sixième mois. Sur le plan intellectuel, il ne semble pas que la perte de son abri intra-utérin ait des répercussions importantes. La fœtologie, science récente, n'affirme rien. Mais, dans les derniers mois de la gestation, certains centres cérébraux sont stimulés. On pense que le cortex enregistre des perceptions sonores et gustatives. Il est bien certain, cependant, que c'est à l'air libre que l'intelligence s'éveille et que les stimuli du monde environnant sollicitent bien davantage le cerveau du nouveau-né que ceux qu'il reçoit à travers le liquide amniotique.

En conclusion, une naissance prématurée n'est pas obligatoirement un événement tragique. Le bébé, une fois rendu à sa mère après avoir rattrapé son retard en couveuse, réclame encore beaucoup de soins et la surveillance minutieuse d'un pédiatre confirmé. On estime à deux années au moins le temps qu'il faut pour résorber les séquelles de la prématurité. Ensuite, l'enfant peut être considéré comme suffisamment bien équipé pour se défendre dans la vie aussi bien qu'un autre.

Quatrième partie

L'accouchement

Chapitre XIII

Préparation
à l'accouchement

L'accouchement étant une fonction naturelle de l'organisme féminin dont les mécanismes se sont rôdés pendant des millions d'années, on pourrait estimer inutile de s'y préparer. Malheureusement, il y a autant de milliers d'années qu'on a oublié qu'il s'agissait d'une fonction naturelle. On en a fait « l'épreuve la plus terrifiante qu'une femme ait à affronter ». La préparation à l'accouchement consiste donc à déconditionner la future mère.

Dans ce chapitre, nous vous parlerons de l'accouchement sans douleur, tel qu'on vous l'enseignera à vos cours. Relisez-le plusieurs fois pour bien vous en souvenir, le moment venu. Nous faisons également le point sur l'accouchement sous anesthésie et par péridurale.

Vous avez sans doute entendu parler de « **l'accouchement sans douleur** ». Cette appellation quelque peu mensongère recouvre une méthode d'accouchement découverte au début de ce siècle, mise au point et aujourd'hui appliquée sous un nom difficile à retenir ; il s'agit de la méthode psychoprophylactique obstétricale (traduction : prévention du mal par la préparation psychologique) que nous nous contenterons d'évoquer par ses initiales : **P.P.O.**

Naturellement, ce livre vous convie à profiter de cette méthode, car elle vous aidera à accoucher moins douloureusement que si vous laissiez faire la nature toute seule. En vérité, la nature a bel et bien fourni à la femme la possibilité de mettre au monde son enfant toute seule. Un mécanisme se déclenche automatiquement dès la fin du neuvième mois : contractions de plus en plus fortes de l'utérus, dilatation de plus en plus large du col de l'utérus, écartement des os du bassin, distension du vagin, aplatissement de la vulve, sécrétions grasses pour lubrifier le passage. Bref, la machine est parfaitement au point pour se livrer d'elle-même à l'expulsion d'un corps qui lui est devenu indésirable. Tout cela devrait être indolore, puisqu'il s'agit du déchargement d'un viscère trop plein, comme pour la vessie ou les intestins. Selon le physiologiste russe Pavlov, les sensations de l'accouchement ne devraient être *« qu'insolites et fatigantes »*. Insolites parce qu'elles sont nouvelles et spécifiques (en aucune autre occasion la femme ne ressent ce type de sensation) ; et fatigantes parce que le cœur effectue un surcroît de travail avec l'effort qu'il fournit, tout comme les muscles du bassin qui tous exercent une pression sur le fœtus, ou bien se trouvent écrasés ou étirés à son passage.

Nous sommes loin des terribles douleurs qui, depuis des millénaires, accompagnent l'accouchement. C'est depuis la genèse et sa fameuse malédiction : « tu enfanteras dans la douleur » que le cercle infernal s'est créé. Eve le répéta à ses filles, qui le répétèrent elles-mêmes aux leurs, et ainsi de suite, jusqu'à aujourd'hui, où, pour la première fois, on vous annonce que vous pouvez accoucher sans douleur. Les deux mots, accouchement et douleur, étaient devenus indissociables, comme la cloche et la pâtée pour le chien de Pavlov. On avait créé un *réflexe conditionné*.

Le but de la P.P.O. fut de faire disparaître ce réflexe ; mais comme dit Einstein : « il est plus facile de briser un atome qu'un préjugé ». La P.P.O. réussit rarement à 100 %, mais elle améliore les conditions de l'accouchement, et c'est déjà beaucoup. Vous ne devrez pas la négliger ; vous vous y intéresserez dès le septième mois de votre grossesse et jusqu'à l'accouchement. La méthode vous sera enseignée à la maternité, en six cours hebdomadaires, plus un, qui seront remboursés par la Sécurité sociale.

La méthode psychoprophylactique

Elle repose sur deux principes : élimination de la peur par la connaissance (préparation psychologique) et acquisition d'une technique musculaire et respiratoire (préparation physique).

Si vous vous trouvez brusquement plongée dans l'obscurité d'une ruelle inconnue, dans une ville étrangère, l'angoisse vous étreint. Pourquoi ? Parce que, ne connaissant pas les lieux et ne pouvant vous orienter, vous ignorez ce que cette nouvelle situation vous réserve. Si, au contraire, vous connaissez la ruelle par cœur pour y être passée maintes fois, l'obscurité qui y règne vous inquiète beaucoup moins et vous poursuivez votre chemin.

Psychologiquement, l'accouchement, c'est la même chose. Votre ignorance du phénomène est à la source de votre angoisse. Chasser cette ignorance correspond à chasser votre angoisse, c'est pourquoi la P.P.O. va vous apprendre :
1) ce qui se passe en vous pendant la grossesse, comment se constitue votre appareil reproducteur ;
2) comment va se dérouler votre accouchement.

C'est la partie informative que vous pouvez également trouver dans un livre, que vous connaissez peut-être déjà. Dans le même but de préparation psychologique, vous ferez connaissance avec la maternité, le lieu où vous accoucherez, les sage-femmes, les infirmières, le médecin. Ainsi, familiarisée avec le décor, vous serez moins impressionnée lorsque les événements se présenteront.

La préparation physiologique
Elle consiste dans l'apprentissage d'une gymnastique médicale particulière qui vise à assouplir les muscles concernés par l'accouchement, et de deux méthodes de respiration, l'une à utiliser pendant les contractions, l'autre pendant l'expulsion.

Il ne s'agit pas de n'importe quelle gymnastique. Elle doit faire travailler certains muscles — ceux du périnée en particulier (qui se trouvent sous l'orifice vaginal) —, dans le but de les faire connaître afin de pouvoir ensuite les contrôler et les utiliser. Vous apprendrez les mouvements dès la troisième leçon. Vous avez intérêt à les répéter chez vous tous les jours.

La première respiration, dite du « petit chien », rapide et superficielle, utilise tous les muscles du thorax et bloque le diaphragme dans la position supérieure afin d'éviter qu'il compresse l'utérus, ce qui supprime une cause de douleur et assure une meilleure répartition de l'oxygène. Vous respirerez de cette manière dès que vous sentirez venir une contraction : d'abord, une respiration profonde (vingt secondes), puis des petits halètements (cinquante secondes), puis, de nouveau, une respiration profonde dès que la contraction est passée.

La deuxième respiration sert à faciliter l'expulsion. Vous vous en servirez dans la salle de travail, lorsque vous en serez à la dilatation **grande paume,** *pendant* les contractions. Cette respiration se divise en quatre temps : *inspirer, souffler, inspirer à fond* et, immédiatement, *bloquer la respiration* et *pousser* comme pour aller à la selle. En général, il faut faire une respiration de ce type deux fois pendant la contraction.

Avec cette méthode, vous participerez activement à la descente de votre bébé. Pendant que vous vous appliquerez à respirer avec méthode,
1) vous occuperez votre esprit, et, n'étant pas à l'écoute de la douleur, vous l'annihilerez. Ou, tout au moins, vous ne lui donnerez pas une importance excessive ;
2) vous vous servirez du muscle du diaphragme pour

pousser sur le haut de l'utérus et hâter l'expulsion ;

3) comme la progression du bébé sera plus rapide, il y aura une moins grande souffrance pour le fœtus ;

4) vous aiderez le médecin et le personnel hospitalier ;

5) vous vous fatiguerez moins.

Si nous faisons le compte, cela fait beaucoup de bonnes raisons pour adopter la méthode psychoprophylactique, alors qu'on serait en peine d'en trouver une pour justifier un renoncement.

Evidemment, il y a celles qui n'y croient pas, qui abordent en général tout progrès avec scepticisme, et qui iront peut-être suivre les cours parce que « ça se fait », mais qui n'écouteront que d'une oreille distraite l'enseignement dispensé. La suite leur donnera raison, car, n'ayant qu'à moitié retenu ce qu'on a voulu leur apprendre, elles feront un peu n'importe quoi le moment venu, et la bonne vieille panique du temps jadis reprendra le dessus. Celles-là pourront aller raconter autour d'elles que la P.P.O. ne sert à rien, décourageant ainsi peut-être d'autres femmes un peu timorées.

Selon des statistiques établies à la clinique des Métallurgistes (où eurent lieu les premiers essais, sous la direction du Dr Fernand Lamaze et de son adjoint, le Dr Hersilie[1]), la méthode connaît 4 % d'échecs, « particulièrement parmi les enthousiastes instables, les pauvres femmes et les intellectuelles. »

La gymnastique médicale

Outre les quelques mouvements spécifiques qu'on

---

1. Le docteur Hersilie a bien voulu préfacer cet ouvrage.

vous apprendra lors des cours de P.P.O., une gymnastique médicale est recommandée pendant la grossesse à toutes celles qui ne souffrent pas d'hypertension, de troubles cardiaques, de diabète et ne présentent pas une tendance à la fausse couche. Cette gymnastique vise à fortifier tous les muscles qui seront de près ou de loin concernés par l'accouchement : ceux du ventre, du dos, du périnée et des cuisses.

Les muscles du ventre, situés sur les côtés et sur le devant, participeront à l'expulsion. Voici deux exercices à exécuter chez vous, si vous ne pouvez aller dans un gymnase :

- A plat dos, faire des ciseaux en hauteur, puis en longueur. Effectuer des mouvements de pédalage ;
- à plat dos, replier les jambes sur les cuisses, puis les cuisses sur le bassin. Revenir jambes allongées au sol. Recommencer quatre ou cinq fois, sans oublier de respirer.

Les muscles du périnée qui entourent le vagin sont importants à contrôler. Pendant l'expulsion, il importe de savoir les relâcher. S'ils sont contractés, ils rétrécissent l'ouverture :

- Assise, genoux fléchis et écartés, mains posées dessus, poussez alternativement vers le bas et l'extérieur, d'abord le genou droit, puis le gauche, en inspirant et en relevant les bras ;
- debout, fléchissez les jambes jusqu'à ce que les fesses touchent les talons, et rebondissez comme un ressort.

Les muscles du dos sont responsables du « mal de reins » de la femme enceinte dans les derniers mois.

Quelques exercices feront disparaître ces douleurs :

- Assise, jambes en tailleur, colonne vertébrale et épaules relâchées, redressez-vous en inspirant à fond. Relâchez en expirant et recommencez ;
- appuyée contre un mur à plat dos, pliez les genoux tout en gardant le dos au mur.

Les muscles des jambes doivent être exercés pour éviter les crampes :

- Au sol, jambes soulevées et appuyées contre un mur, les pointes des pieds tendues, contractez les muscles du pied en dirigeant la pointe vers le corps, puis ramenez-les à plat contre le mur ;
- faites avec les pieds des mouvements de rotation.

La respiration

Savoir respirer est utile à tous les moments, mais plus particulièrement pendant la dilatation et l'expulsion. Une bonne oxygénation des poumons, donc du sang, élimine la fatigue, tonifie les muscles et détend les nerfs.

Voici un exercice à faire tous les jours pour clore votre séance de gymnastique. Vous l'utiliserez pendant la dilatation, quand les contractions commenceront à se relâcher :

- bien à plat sur le sol, repliez les jambes sur le corps. Inspirez profondément en soulevant le plus possible le ventre pour qu'il touche les cuisses. Suspendez votre respiration en comptant jusqu'à huit. Expirez lentement en chassant bien l'air du ventre et en redescendant les jambes sur le sol (quinze fois) ;
- à ras du sol, inspirez en dilatant la cage thoracique, mains sur le ventre pour empêcher ce dernier de se

Pendant les contractions.

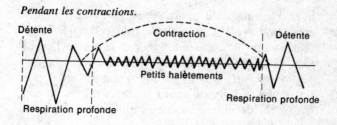

Pendant l'expulsion.

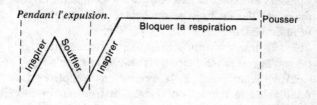

Fig. 4. Schéma des deux respirations de l'accouchement sans douleur.

remplir d'air. Cela fait travailler les intercostaux et le diaphragme (à utiliser pendant la poussée).

La relaxation
Si vous êtes une adepte du yoga, ou, même, si vous

avez l'habitude du sport, vous savez ce qu'est la relaxation. Voici une méthode pour celles qui l'ignorent encore. Se relaxer est utile à la fin de l'expulsion, pour que l'enfant sorte facilement.

- Allongée sur le sol, ou sur n'importe quel plan horizontal, relâchez d'abord la jambe droite, en contrôlant la décontraction de chaque muscle, puis la jambe gauche ;
- détendez ensuite les hanches, les muscles de l'abdomen, ceux du dos et ceux de la région thoracique ;
- passez alors à la décontraction complète de la main, de l'avant-bras et du bras droit, jusqu'au niveau de l'épaule ;
- tout en inspirant plusieurs fois profondément, vérifiez qu'aucun muscle cité n'est resté contracté ;
- passez maintenant à la relaxation complète des muscles de la nuque, du visage, du front et du cuir chevelu. On doit pouvoir sentir chaque partie de son corps, peser sur la surface d'appui dans un état d'abandon complet. Chaque membre doit être lourd et retomber pesamment si quelqu'un le soulève.

En tout cas, le cerveau doit se concentrer uniquement à la création de cet état de relâchement parfait du corps.

L'accouchement sous anesthésie

S'il existe un accouchement sans douleur, c'est l'accouchement sous anesthésie. En Europe, on ne le pratique qu'en cas d'extrême nécessité.

Les raisons de cette attitude sont diverses, et d'abord d'ordre pratique. La généralisation de l'accouchement sous anesthésie réclamerait un nombre plus grand d'anesthésistes. Or, pour l'instant, cette qualification assez difficile connaît peu d'amateurs. Ensuite, il y a des raisons qui sont d'ordre psychologique. On aurait observé, chez les femmes accouchées sous anesthésie, certaines perturbations de l'amour maternel. Du fait qu'elles n'ont pas assisté à la venue au monde de leur bébé, qu'elles n'ont pas entendu son premier cri, elles se sentiraient coupables « d'avoir flanché », d'avoir refusé à l'enfant la souffrance qu'il pouvait espérer de sa mère. Il faut se référer, disent les partisans de cette théorie, à l'exemple des femmes américaines qui accouchent sous anesthésie et dont les enfants sont surprotégés, trop couvés, trop gâtés, en tous cas mal aimés et mal élevés, d'où le nombre croissant d'inadaptés sociaux dans ce pays.

Enfin, parfois, le refus de pratiquer l'accouchement sous anesthésie est d'ordre moral. On pense qu'on ne peut pas braver impunément la malédiction divine : « Tu enfanteras dans la douleur » ; qu'« il faut laisser faire la nature » ; que « la douleur des couches « grandit » la mère », etc.

La péridurale

On a beaucoup parlé de la « péridurale », qui semble une excellente méthode car elle fait la synthèse entre l'accouchement naturel préparé et l'accouchement sous anesthésie. L'enfant naît éveillé, la mère reste consciente et participe à l'expulsion. Seule la douleur disparaît grâce aux effets d'un anesthésique qu'on injecte, dans le dos, dans la zone des racines nerveuses où la douleur prend source[1]. Ce type d'accouchement réclame un personnel qualifié, et fait monter des prix que la Sécurité sociale ne veut pas prendre en charge. Dans certaines maternités de pointe, dans des cliniques privées « très sérieuses » et coûteuses, on pratique la péridurale lorsque l'accouchement promet d'être douloureux parce que l'enfant est trop gros, le bassin trop étroit, lorsque la mère est fragile, etc.

En conclusion, ne comptez pas trop sur la péridurale, vous avez peu de chances d'en bénéficier, et repliez-vous sur la P.P.O. qui présente quand même l'avantage de vous aider à accoucher naturellement, chose qui demeure ce qu'il y a de mieux pour votre santé.

---

1. Imparfaitement pratiquée, la péridurale serait assez douloureuse au stade des injections lombaires.

Chapitre XIV

Comment se déroule un accouchement normal

Un accouchement normal, c'est à la fois quelque chose de plus simple et de plus compliqué que ne peut se l'imaginer une femme « qui n'y est pas passée ».

Simple, puisqu'on peut accoucher seule chez soi, et que, pendant des siècles, les femmes n'ont guère été assistées dans cette fonction naturelle.

Mais compliquée aussi, depuis qu'on veille à épargner toute souffrance et toute dégradation à la mère et à l'enfant.

Dans ce chapitre, nous sommes avec vous pendant la phase de la dilatation qui se déroulera chez vous et la phase d'expulsion qui aura lieu à la maternité.

Fœtus à terme avant l'engagement.

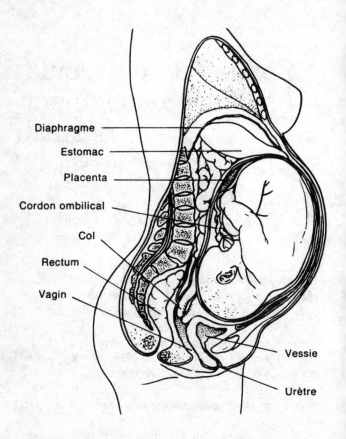

Diaphragme

Estomac

Placenta

Cordon ombilical

Col

Rectum

Vagin

Vessie

Urètre

Fig. 5 et 6. La descente du fœtus à travers le bassin.

Le fœtus s'est engagé.

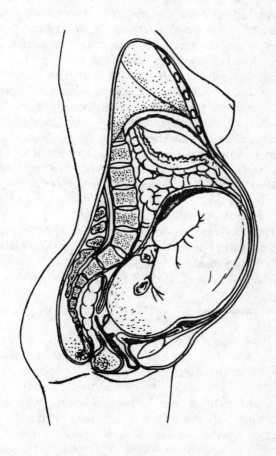

Lors de votre première visite chez le gynécologue, celui-ci, fort des renseignements que vous lui avez fournis sur la date de vos dernières règles et sur celle, probablement plus approximative, de la conception, a pu fixer le jour de votre accouchement. Vous verrez le *Jour J* arriver avec des sentiments mêlés probablement d'impatience, de joie et d'anxiété. Comme beaucoup de femmes, sans doute aurez-vous envie dans les jours précédents de vous livrer à de grands travaux d'aménagement, de rangement et de nettoyage. C'est une constante qu'on dit psychologique, mais ce surcroît d'énergie est dû en réalité à un net accroissement du taux d'adrénaline dans le sang, destiné à vous aider à mieux affronter les efforts de l'accouchement. Il vaudrait donc mieux ne pas le détourner de son but.

Dans les derniers jours, vous vous sentirez plus légère, malgré le poids de bébé, plus dynamique et plus entreprenante.

Les contractions

Tout est calme. C'est le calme qui précède un grand événement. Puis, un matin, ou au milieu de la nuit, vous ressentirez brièvement une petite crispation à peine douloureuse mais caractéristique, située du côté des reins et vers le bas du ventre. Vous n'y ferez peut-être pas attention. Elle peut effectivement ne rien signifier du tout. Mais elle peut aussi être le signe annonciateur du début de la phase de dilatation. Cette première phase de l'accouchement se manifeste par des contractions de plus en plus rapprochées et de plus en plus fortes qui correspondent à la **dilatation**, ou ouverture du col de l'utérus. Quand celui-ci sera complètement ouvert, vous passerez à la phase d'expulsion, ou naissance du bébé.

Une femme peut ressentir de petites crispations, comme celle décrite plus haut, pendant plusieurs jours, sans pour autant que la dilatation soit en route. Cette phase ne débutera que lorsque ces crispations se manifesteront à des intervalles réguliers (tous les quarts d'heure). On pourra alors parler de contractions. Ce qui se passe alors, c'est que l'utérus trop plein est en train de se contracter et la tête de l'enfant appuie sur le col. L'enfant est prêt à naître et l'hypophyse le sait puisqu'elle a envoyé une hormone spéciale, l'ocytocine, pour provoquer ces mouvements[1].

L'ouverture aura au début la taille d'une pièce de cinquante centimes, puis, sous la pression, celle d'une pièce d'un franc, puis de cinq francs. *Quand la dilatation aura atteint la taille de cette grosse pièce, les contractions se produiront toutes les cinq minutes et dureront environ quarante-cinq secondes.* Minutez-les, cela vous permettra de savoir où vous en êtes[2].

Ce n'est qu'à partir de ce moment que vous pourrez prendre vos dispositions pour gagner la

1. Les contractions se propagent par ondes, partant du fond de l'utérus vers le col, ce qui amène un raccourcissement vers le haut. C'est le même phénomène que celui qui se produit dans l'intestin lorsqu'il cherche à se vider.
2. Normalement, le bouchon muqueux, sorte de glaire sanguinolent, saute au début de la dilatation et constitue le signal de cette phase. Il peut sauter plus tôt, ou pendant les contractions, mais c'est assez rare. Il ne faut pas confondre ce phénomène avec la perte des eaux qui, normalement, doit se produire en début d'expulsion. Si cette perte des eaux se produisait avant, il faudrait partir tout de suite pour la clinique.

maternité où vous avez retenu une chambre depuis plusieurs mois déjà. Inutile de vous y rendre dès les premières contractions, car le temps de dilatation peut être long : huit à douze heures pour un premier enfant, cinq à six heures pour le second.

Donc, inutile d'encombrer un lit de clinique. D'ailleurs, vous serez mieux chez vous. Quand vous sentirez venir la contraction, vous vous allongerez sur le côté et vous effectuerez très rigoureusement le type de respiration superficielle et haletante qu'on vous a appris au cours de P.P.O. Vous verrez, vous supporterez très bien les sensations désagréables, parfois douloureuses — mais à des degrés divers selon les femmes — de la contraction. Quand celle-ci s'éloignera, relevez-vous, car vous n'avez plus mal du tout, et retournez à vos occupations. Faites-vous une mise en plis, repassez vos chemises de nuit, faites votre valise[1], préparez le repas pour votre mari (pas pour vous, n'oubliez pas qu'il vaut mieux que vous soyez à jeun s'il faut vous faire une anesthésie) ; bref, occupez-vous les mains et l'esprit. Le temps vous semblera plus court, et l'inquiétude qui pourrait s'emparer de vous si vous restiez trop à l'écoute de votre corps se dissipera.

La présence du père à l'accouchement

Il y a quelques années, fortes des succès remportés par l'accouchement sans douleur (alias P.P.O.), quel-

---

1. Pensez à emmener des serviettes hygiéniques, du coton et deux culottes en caoutchouc. Pour Bébé, emmenez le plus important de sa layette.

ques vedettes du corps médical estimèrent que la présence du père à l'accouchement pourrait être considérée comme une véritable consécration de la méthode. Les maris pourraient voir de leurs propres yeux leur femme, non pas dans « les douleurs », mais au travail, en train d'expulser bravement leur enfant, avec un maximum de contrôle et de discipline. Puis on recueillit des témoignages de pères émerveillés qui se déclarèrent brusquement concernés par la maternité. Quant aux mères interviewées, elles s'étaient senties « moralement bien soutenues ».

On se dit alors que « si un enfant se faisait à deux, on devait aussi l'attendre à deux, le voir naître à deux, l'élever à deux, etc. » Très bien ! Toute révolution a du bon, et la nouvelle société exige effectivement la participation de l'homme à des tâches jusqu'alors réservées à la femme, en compensation des efforts de celle-ci pour « se rentabiliser » dans le monde du travail.

Mais cette opération « portes ouvertes » sur les salles d'accouchement a fait long feu. On s'est vite aperçu que la présence du père à l'accouchement s'assortissait de problèmes divers et présentait plus d'inconvénients que d'avantages. En premier lieu, la présence d'un non-initié, ses craintes et ses interventions éventuelles compliquaient la tâche du praticien, obligé parfois d'intervenir au quart de seconde. Il n'était pas non plus souhaitable, dans un lieu où l'asepsie est de rigueur, d'introduire un individu sortant d'une voiture poussiéreuse ou d'un métro rempli de miasmes. Beaucoup moins avouées étaient les raisons psychologiques d'un refus : sentiments d'impuissance du témoin, de dégoût gynécologique, épouvante, angoisse, voire traumatisme sexuel, indirect, certes, mais non négligeable.

En définitive, aujourd'hui, la question se pose surtout en termes de maturité psychologique du mari. Si le médecin à qui il en fait la demande préalable accepte sa présence, c'est parce qu'il le juge ni trop émotif ni trop interventionniste, qu'il a l'impression de satisfaire un désir légitime de connaissance et de participation, et aussi parce que sa patiente le souhaite vivement. Un accord tripartite est donc nécessaire, et il faut qu'il soit entier et sans réticence.

Le départ pour la clinique

A partir du moment où les contractions durent quarante-cinq secondes et se renouvellent toutes les cinq minutes, votre mari vous conduira dans sa voiture à la maternité. Un autre moyen de locomotion possible est l'ambulance. Les frais doivent pouvoir vous être remboursés.

Quand vous y arriverez, vous en serez probablement à « petite paume ». Vous attendrez encore au moins deux ou trois heures avant d'en être à « grande paume », ce qui signifie que le col de l'utérus s'est ouvert de la largeur d'une main. L'infirmière viendra surveiller la dilatation, vous raser et vous laver. Vous pouvez éventuellement lui demander de ne raser que le périnée. Cela limitera les démangeaisons lorsque les petits poils repousseront.

Naturellement, votre médecin aura été averti par le personnel de la maternité de l'imminence de votre accouchement. S'il est de service, pas de problème. S'il n'est pas de service, il se déplacera peut-être, cela dépend de vos rapports avec lui, de l'endroit où vous accoucherez, de l'endroit où il se trouve lui-même. Dans une maternité conventionnée ou un hôpital, les médecins travaillent par roulement. Vous ne pouvez faire sortir de son lit un homme épuisé par des heures de service bien remplies. Mais si vous êtes venue plusieurs fois à la maternité et si vous avez choisi de faire surveiller votre grossesse par l'un ou l'autre des médecins qui y travaillent, vos chances d'être accouchée par un praticien de connaissance s'en trouvent accrues. Si ce n'est pas le cas, n'en soyez pas contrariée. Votre dossier sera remis entre les mains de celui qui s'occupera de vous. Dites-vous bien que tous connaissent leur métier, et, surtout, que c'est la nature qui est le premier artisan d'un accouchement. La nature… et vous !

La salle d'accouchement

Quand vous serez prête, la sage-femme vous mènera à pied jusqu'à la salle de travail, car vous êtes encore capable de marcher. Vous aurez revêtu une de vos chemises les moins fragiles, à moins qu'on ne vous passe une chemise d'hôpital, ce qui est encore mieux.

La salle de travail, normalement, vous la connaissez. Les cours de P.P.O. prévoient une visite du lieu, pour que vous soyez moins dépaysée le moment venu. C'est une pièce qui comporte principalement une table qui ressemble beaucoup à celle du gynécologue, mais plus grande et plus perfectionnée. Il y a des étriers, dont vous vous servirez peu, et des appuis et des courroies qui vous seront utiles pour pousser plus aisément quand viendra l'expulsion.

A un moment, les contractions sont intenses et rapprochées. Elles ne vous laissent pas de répit. Si vous souffrez beaucoup, on vous fera une petite piqûre pour vous soulager. Si vous paniquez un peu, la sage-femme vous guidera de la voix et vous fera respirer éventuellement un peu d'oxygène. Juste avant l'expulsion, sous la pression du crâne de l'enfant, la poche des eaux crèvera et s'écoulera, lubrifiant sur son passage le conduit vaginal. Voyez comme la nature fait bien les choses ! Si la poche ne se vide pas toute seule, le médecin la percera et vous ne sentirez rien[1].

L'expulsion

A toutes fins utiles, voici comment vous devez vous comporter pendant l'expulsion :
- la contraction arrive et vous éprouvez le besoin de pousser hors de vous ce petit hôte devenu trop encombrant. Celui-ci a d'ailleurs envie de sortir, car il est mal à l'aise. Selon un pédiatre connu, c'est l'enfant lui-même qui ordonne à sa mère d'accoucher. Théorie hasardeuse, qu'aucun bébé n'a pu encore confirmer... !

Donc, vous éprouvez l'envie de pousser, mais ne le faites pas n'importe comment. Inspirez profondé-

---

1. Si la poche des eaux venait à se rompre pendant les contractions, il faudrait partir tout de suite pour la clinique, sans se laver ni prendre de bain.

ment quand la contraction arrive et bloquez l'air dans vos poumons en comptant intérieurement jusqu'à vingt. En même temps que vous comptez, vous poussez comme pour aller à la selle et pour uriner. D'ailleurs, il est probable que vous expulserez aussi des matières fécales. N'en ayez pas honte, cela se produit presque chaque fois.

Quand vous êtes arrivée à vingt, expirez rapidement, reprenez de l'air très vite et comptez encore vingt secondes en poussant. Puis expirez lentement et détendez-vous car la contraction est passée. Celle-ci dure plus d'une minute, c'est pourquoi vous respirez en deux temps.

Vous êtes à plat-dos sur la table de travail, les jambes écartées et pliées, pieds posés à plat, mains cramponnées aux appuis métalliques, nuque relevée, tête penchée en avant. Les muscles du périnée, ceux qui entourent l'anus et le vagin, doivent être aussi relâchés que possible, et non pas contractés, car ils empêcheraient alors la tête du bébé de sortir. Si l'accoucheur constate que vous ne savez pas relâcher cette région et que la tête de l'enfant, dont il voit déjà les cheveux, n'arrivera pas à passer sans causer des déchirures, il pratiquera une petite incision en oblique, appelée **épisiotomie**. Grâce à une petite anesthésie locale, vous ne sentirez rien. Après l'accouchement, le médecin posera quelques agrafes qui seront ôtées avant votre sortie de clinique. Il n'en restera qu'une fine cicatrice à peine visible.

La naissance

Maintenant, la tête de l'enfant est visible. Il est possible que le médecin pose sur son crâne une petite électrode qui le renseignera sur ses battements cardiaques et une autre électrode sur votre cuisse à vous pour mesurer l'ampleur des contractions utérines. Cette technique baptisée **monitoring** a pour but d'éviter qu'il y ait souffrance fœtale (voir le paragraphe suivant). Quand la tête sera engagée, le médecin vous demandera de ne pousser que sur son ordre. Il s'agit d'éviter une expulsion brutale qui provoquerait des déchirures des tissus du vagin. Pour vous empêcher de pousser, car vous en éprouverez le besoin, revenez à la respiration superficielle que vous utilisiez pendant la dilatation. Elle empêche le muscle du diaphragme d'appuyer sur l'utérus.

La tête va sortir doucement, puis le bébé effectuera une rotation pour dégager son nez, son menton, ses épaules et les bras. Le reste de son corps sortira très vite.

Le médecin vous dira tout de suite si le bébé est une fille ou un garçon, il vous le montrera, le posera peut-être sur votre ventre, tout englué de vernix, d'un peu de sang, le visage et les mains congestionnés. Il n'est pas beau, mais il vous émerveillera cependant, et son premier cri, un braillement sonore, vous paraîtra quelque chose de saisissant, de bouleversant, d'admirable.

Le médecin coupera le cordon dès que celui-ci aura cessé d'être agité de pulsations, car ce sera le signe que son rôle est terminé. Il sera incisé à deux centimètres du ventre du bébé.

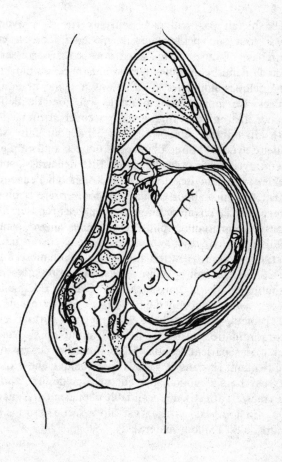

Fig. 7. Présentation par la tête.

La délivrance

Bébé n'était pas seul dans votre utérus. Il y avait aussi tout son petit matériel, placenta, cordon et autres membranes. Vous allez vous en débarrasser, dans la demi-heure qui suivra la naissance, au moyen de quelques nouvelles contractions à peine douloureuses. Ce moment qui porte le joli nom de délivrance met un point final à votre accouchement.

L'infirmière a emporté votre bébé pour faire sa toilette avec de l'huile d'amandes douces, ou, simplement, avec de l'eau et du savon. Elle débarrasse son nez et sa bouche des diverses mucosités qui l'encombrent. On vous apportera un bébé tout propre et bien langé dans la chambre où vous allez vous reposer. Et vous le verrez tout de suite, ou bien après un gros sommeil réparateur dont vous éprouverez le besoin irrésistible. Vous ressentirez alors pour la première fois le contact de votre enfant. C'est un autre moment inoubliable de la naissance que Claude Edelmann décrit avec beaucoup d'émotion[1] : « Son être entier se projette sur son bébé. Son regard surtout est extraordinaire : curiosité, fierté, timidité aussi. Mais ses mains parlent le plus. Elles prennent possession de l'enfant. Et dans ce geste, il y a quelque chose que les psychologues n'ont pas encore élucidé, une sorte de transfert affectif, un formidable déplacement d'énergie. En tout cas, un lien est alors scellé jusqu'à la mort : c'est l'amour maternel. »

1. *les Premiers Jours de la vie* (Editions Tallandier).

Chapitre XV

Un accouchement avec intervention

Ce chapitre pourrait vous inquiéter. En fait, il va vous rassurer, car vous allez constater que tout est prévu pour remédier à tous les problèmes qui pourraient se présenter à l'accouchement : si les contractions ne sont pas assez fortes, si votre bassin présente un défaut, si le cordon s'enroule autour du cou de bébé, si sa présentation n'est pas ordinaire, si le bébé souffre, si vous souffrez au-delà de ce qui est permis..., et même si vous paniquez ! L'obstétrique est devenue une science admirablement assistée par la technique et la chimiothérapie. L'accoucheur a aujourd'hui plus d'un tour dans son sac pour vous tirer d'un mauvais pas !

Le chapitre précédent vous présente le scénario le plus classique d'un accouchement tel qu'il se déroule dans 90 % des cas. Reste 10 % de cas où surgissent des complications diverses dont nous allons envisager l'éventualité.

Le cordon des « pendus »

Parlons tout de suite de ces histoires de « pendus » que les femmes se racontent entre elles, en prenant des airs effrayés. Il arrive que le cordon ombilical s'enroule autour du cou du bébé, une fois, deux fois, quatre fois. Que se passe-t-il ? Simplement, le médecin désenroule aussitôt le cordon. Jusqu'au moment où le cordon est coupé parce qu'il a cessé de battre, l'enfant est oxygéné par une sorte de phénomène d'osmose, les molécules d'oxygène passant du sang maternel dans le sang du bébé. Donc, il n'y a pas encore véritablement risque d'asphyxie. Cela dit, il faut agir sans tarder.

Une **double circulaire**[1] n'a jamais étranglé un bébé. Si celui-ci devait mourir en naissant, ce serait pour une autre raison. Il arrive qu'un bébé apparemment sain se révèle inapte à la vie hors du milieu intra-utérin. Sa sortie à l'air libre déclenche une lésion cardiaque irréversible. Personne n'y peut rien.

Le seul cas où le cordon pose des problèmes, c'est lorsqu'il sort le premier, souvent pendant la dernière phase des contractions. On dit alors que le cordon est « **procident** ». Ce phénomène rend l'accouche-

1. Ou triple, ou quadruple. Le cordon peut s'enrouler plusieurs fois autour du cou, s'il est très long.

ment problématique par la voie normale. Il faut recourir à la **césarienne**.

Les présentations inhabituelles

Généralement, en fin de grossesse, l'enfant attend les événements tête en bas, pieds en l'air, son crâne appuyant sur le col comme pour forcer l'ouverture. Il apparaîtra au niveau de la vulve, tête baissée sur son menton.

Or, dans sept cas sur cent, il se présente par le siège. La forme de l'utérus, celle du bassin sont à l'origine de ce type d'accouchement. A l'auscultation, on sait difficilement à quoi s'en tenir. La radiographie renseigne davantage le médecin. Celui-ci, lors de l'accouchement, dégagera d'abord une fesse, puis l'autre, ensuite les épaules et la tête. Il peut arriver que le cordon se trouve coincé entre le crâne de l'enfant et les os du bassin, et qu'il cesse donc de fonctionner, faisant courir un risque d'asphyxie au nouveau-né. Le médecin procède alors très rapidement.

Dans 0,5 % des cas, l'enfant se présente par la face. Cette présentation complique la tâche de l'accoucheur. Il doit recourir aux forceps pour corriger cette présentation. S'il n'y parvient pas, il recourt à la césarienne.

Les interventions

La césarienne (du latin *caedere* : couper) est une opération courante de nos jours, qui consiste à inci-

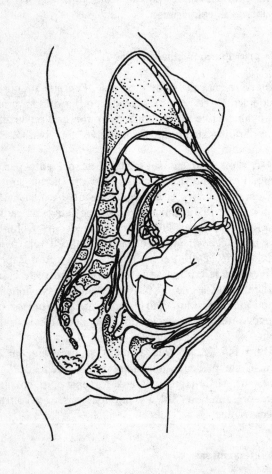

Fig. 8. Présentation par le siège.

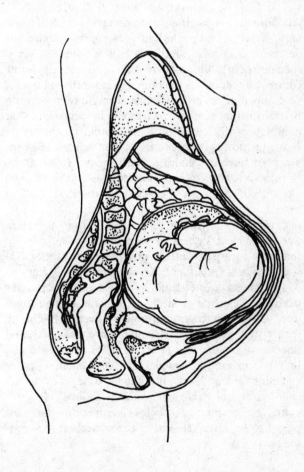

Fig. 9. *Présentation par l'épaule.*

ser, sous anesthésie, l'abdomen, puis l'utérus ; à saisir l'enfant par l'ouverture ainsi pratiquée ; puis à recoudre les tissus. Bien que spectaculaire et inquiétante, cette opération ne fait plus courir aujourd'hui de risque à la mère (autrefois huit femmes sur dix y succombaient). On est en effet capable de lutter contre l'infection en recourant aux antibiotiques et de compenser les effets de l'hémorragie au moyen de la transfusion sanguine. Grâce à la césarienne, de nombreuses difficultés obstétricales ont pu être résolues : quand les contractions ne sont pas assez intenses pour faire descendre le bébé, quand le bassin de la mère est trop étroit, en cas de *placenta prævia*, en cas d'accouchement d'une femme diabétique, et dans bien d'autres cas.

Comme conséquence de cette opération, il restera une fine cicatrice du nombril au pubis, mais la femme n'aura pas souffert, puisque tout se sera passé sous narcose. Quant au bébé, il est en parfait état.

La science obstétricale a réalisé de tels progrès depuis le début de ce siècle qu'on peut dire qu'il y a une solution à chaque problème éventuel. On ne meurt pratiquement plus jamais en couches. Quand une grossesse dépasse le terme prévu, par exemple, le médecin peut provoquer artificiellement l'accouchement grâce à un produit à base d'ocytocine (l'hormone qui déclenche les contractions). Il y recourt également quand les contractions ne sont pas assez fortes et que l'accouchement se prolonge.

La **ventouse** (ou *vacuum extractor*) n'est pas récente, mais l'instrument s'est perfectionné et les mé-

decins savent mieux s'en servir. Il s'agit d'une sorte
de grosse ventouse qui est posée sur le crâne de
l'enfant lorsque celui-ci apparaît et que les contractions ne le font pas descendre assez rapidement. Si
l'électrocardiotocographe signale qu'il y a souffrance
fœtale, c'est-à-dire que l'oxygène commence à manquer au bébé, le médecin recourt à cet instrument
qui lui permet de tirer doucement l'enfant vers lui
chaque fois qu'une contraction tend à le pousser
dehors. Il peut aussi recourir aux **forceps** (sorte de
grande pince à salade) qui existent depuis plusieurs
dizaines d'années, mais qui se sont beaucoup perfec-
tionnés. Ceux-ci permettent de dédoubler la prise,
donc la traction. Le médecin les emploie lorsqu'il
voit que la mère commence à s'épuiser et qu'elle
arrivera difficilement à expulser son enfant toute
seule. Cette manipulation s'effectue parfois à vif,
mais le plus souvent sous anesthésie, soit locale —
lorsqu'une épisiotomie a été faite —, soit générale,
mais brève.

La souffrance fœtale

Lorsqu'un accouchement se déroule normalement, le
bébé ne souffre pas de devoir passer par une porte
aussi étroite que celle qui donne sur la vie. D'abord
parce que son corps est mou et élastique, peu sensible à la douleur à ce moment-là, ensuite, parce que,
jusqu'à sa sortie à l'air libre, le cordon continue à
alimenter son sang en oxygène.

Bien sûr, il peut venir au monde avec un crâne
étiré en pain de sucre, mais ce n'est pas grave, car

les os du crâne sont malléables et la **bosse sérosan-
guine** se résorbe en une quinzaine de jours.

Par contre, lorsque les contractions utérines ne
sont pas assez fortes, lorsque la mère n'arrive pas à
pousser convenablement, le bébé s'attarde derrière la
porte et risque de manquer d'oxygène. Or, le cerveau
d'un nouveau-né consomme beaucoup d'oxygène,
près de 60 % de celui qui est dispensé à son organisme ! S'il en est privé momentanément, des risques
de lésions cérébrales irréversibles se présentent. L'enfant naîtra inanimé, il faudra le réanimer, ce qui
n'est pas toujours grave, mais mieux vaut l'éviter !

La réanimation

La réanimation est une opération aujourd'hui beaucoup plus simple qu'autrefois et qui se déroule en
deux manipulations simultanées : perfusion de bicar-
bonate de soude dans la veine ombilicale pour rétablir une acidité normale, et pose d'un masque à
oxygène sur le nez.

Pour éviter d'avoir à recourir à la réanimation, on
a mis au point divers procédés qui permettent de
surveiller l'état de l'enfant au cours de sa progression dans le vagin. Cette forme « **d'accouchement
assisté** » a été baptisé d'un mot anglais, le **monitoring**.

On utilise pour cela un **cardiotocographe**, ou un
électrocardiotocographe, appareil qui se présente sous
forme d'électrodes reliées par des fils à une machine
enregistreuse ultra-sensible qui ressemble fort à celle
qu'on utilise pour les électrocardiogrammes. Les

électrodes sont posées sur le cuir chevelu du bébé, dès qu'il apparaît, et sur la cuisse de la mère. Cela permet d'obtenir un graphique des battements cardiaques du bébé et de mesurer l'intensité des contractions utérines par rapport à ces battements. Lorsqu'on constate qu'il y a souffrance fœtale, le médecin intervient. Ces appareillages complexes ne figurent pas encore dans toutes les maternités, mais, bien souvent, l'intuition et le savoir de l'accoucheur suffisent pour déceler le trouble qui s'installe chez son nouveau et futur client.

Cinquième partie

Tout ce qui va se passer après votre accouchement

Chapitre XVI

Une énigme
à élucider :
votre nouveau-né

*L'objet qui a causé tout ce dérangement est là,
devant vous, dans son lit ou dans vos bras. Un être
minuscule et fragile qui vous étonne et vous émeut.
C'est votre enfant, et déjà vous l'interrogez du regard. Est-il normal ? Est-il complet ? Me voit-il,
m'entend-il ? Est-ce qu'il pense ? Que signifie ceci et
que signifie cela ?... Le médecin n'aura pas beaucoup de temps pour répondre à toutes vos questions.
C'est pourquoi nous consacrons ce chapitre à vous
présenter votre bébé.*

Intéressons-nous, maintenant que tout est tranquille, à ce nouveau venu qui, à l'issue d'une longue nuit intra-utérine, ouvre les yeux sur un monde inconnu, tout nimbé d'une blanche lumière qui l'éblouit.

Ses yeux

Ses yeux sont bleu-gris, comme les yeux de tous les bébés. Ils ne resteront pas de cette teinte. Dans trois semaines ou un mois, vous les verrez virer vers le brun, le vert ou le bleu. C'est la lumière qui fixe la teinte définitive de l'iris, teinte qui s'est décidée, souvenez-vous-en, au moment de la répartition des chromosomes, c'est-à-dire à la conception. Au début, le bébé ne vous voit pas, même s'il paraît vous fixer intensément. A travers une sorte de brume, il perçoit votre silhouette, et, comme il fait des efforts pour mieux voir, il louche un peu. Dans quelques semaines, il accommodera mieux et ce strabisme disparaîtra. A ce moment-là, il vous verra presque distinctement, mais ne reconnaîtra votre visage parmi d'autres que dans cinq ou six mois.

Dans deux semaines, si vous promenez dans l'axe de son regard une boule brillante, il s'y intéressera. Vers un mois, la couleur rouge retiendra son attention, puis, plus tard, le bleu et le jaune. Quant au vert, il le confondra longtemps avec l'une ou l'autre de ces deux couleurs.

Son sourire

Dès la naissance, bébé étire sa bouche dans une sorte de rictus plus ou moins gracieux que, naturellement, vous trouverez irrésistible. On dit qu'il sourit aux anges. C'est bien possible, car ce sourire n'est adressé à personne. Ce mouvement n'est dû qu'à une inhibition de l'agitation motrice. Il n'exprimera la joie que vers six ou sept mois.

Son ouïe

Peut-être serez-vous étonnée de constater que les bruits ne l'émeuvent pas. Mais comment pourrait-il signaler qu'il entend ? Le tout-petit ne peut même pas bouger la tête. En fait, sa venue au monde l'a temporairement assourdi, car ses tympans ont été trop comprimés. Très vite, il se révélera sensible à certains bruits légers, tandis que d'autres plus forts ne le réveilleront pas. Un bruit soudain, comme une porte qui claque, l'inquiétera et le fera peut-être hurler. De toute façon, vous pouvez lui parler. Il ne comprend pas, mais son oreille s'éduque à l'écoute du langage. Les mères savent cela d'instinct, qui tiennent avec leur nouveau-né de longues conversations chuchotées.

Ses membres

Vous trouverez sans doute que votre enfant a une tête bien grosse, des jambes bien courtes et des bourses bien volumineuses. N'en déduisez pas que votre fils deviendra un intellectuel trapu et super-viril. Il s'agit là de la morphologie pathologique du nouveau-né. La grosseur momentanée des bourses ou **hydrocèle**, est due à la rétention d'eau. En ce qui concerne les **seins indurés** à la naissance, qui semblent près de sécréter du lait, le phénomène est dû aux hormones de la grossesse qui circulent encore dans le sang du bébé.

Sous son crâne chauve (s'il est chevelu, il perdra ultérieurement ces cheveux), vous pouvez sentir par endroits des pulsations inquiétantes. Les os crâniens ne sont pas tous soudés. Entre les interstices se situent les **fontanelles** qui devront se refermer entre dix et dix-huit mois.

Terminons notre examen par les pieds, dont la position inquiète souvent la maman, qu'ils soient redressés vers l'avant **(pieds talus),** tournés vers l'intérieur **(pieds varus),** ou plats **(pieds valgus).** Une seule réponse peut être donnée devant ces apparentes malformations : elles sont provisoires, provoquées par la pression utérine. S'il y avait malformation congénitale, le médecin vous le signalerait. A propos de malformation congénitale, il y en a une que le médecin ne peut pas toujours deviner. Il s'agit de la **luxation de la hanche**, que la mère transmet à sa fille ou à son fils, et qui déterminera plus tard un boitillement. Pour l'éviter, il suffit de langer l'enfant cuisses écartées.

Son poids

A la naissance, votre bébé pesait trois kilos, ou trois

kilos et demi. Très bien ! Les enfants d'aujourd'hui pèsent rarement davantage. Si vous êtes une fumeuse, votre enfant ne pesait peut-être que deux kilos huit cents. Il fallait s'y attendre ! S'il s'agit d'une fille, il est normal qu'elle pèse un peu moins qu'un garçon. On signale des différences de poids peu importantes de cent à trois cents grammes. Cela ne veut pas dire que la fille est plus fragile, au contraire. Toutes les puéricultrices vous diront que les filles sont plus résistantes, qu'elles s'éveillent plus tôt, marchent et parlent avant les garçons. Elles vont mûrir plus vite, être pubères un ou deux ans avant leur homologue masculin, et elles mourront sans doute plus âgées (selon les statistiques).

Le poids de naissance dépend de la santé qu'a la mère en général, et de celle qu'elle a eue pendant sa grossesse en particulier. Mieux elle s'est alimentée, mieux l'utérus a été irrigué et oxygéné, et plus fort sera le bébé. L'hérédité intervient pour une grande part dans ce poids. Une femme maigre mariée à un homme de petite taille mettra au monde un enfant plus petit et moins lourd. Une insuffisance de poids se comble rapidement lorsque l'enfant a bon appétit et qu'on lui donne le lait qui lui convient.

Sachez que votre enfant perdra du poids dans les jours qui suivront sa naissance. Il élimine entre deux cents et trois cents grammes de mucosités qui encombrent son intestin, le **mécomium**. Ce produit, parfois éliminé avant l'accouchement, rend les eaux verdâtres et signale que le terme de l'accouchement est dépassé.

Au bout d'une semaine, la courbe du poids regrimpera. Bébé grossira de cent soixante-quinze grammes par semaine dans les trois premiers mois, de cent cinquante grammes par semaine dans les trois mois qui suivront. Au cours du troisième trimestre de sa vie, il commencera à prendre moins de poids, soit soixante-dix grammes par semaine.

Voici quelques chiffres-repères : à cinq mois, le bébé doit avoir doublé son poids de naissance. Si celui-ci était de trois kilos et demi, l'enfant doit peser sept kilos. A douze mois, il a triplé son poids de naissance et pèsera environ dix kilos. Par la suite, l'augmentation pondérale faiblira de plus en plus.

Chez un bébé, le poids ne signifie pas obligatoirement la force. Certains bébés minces sont en aussi bonne santé que d'autres plus joufflus, et les bébés-cadum n'ont plus du tout la cote auprès des diététiciens, car ils sont souvent poussifs, apathiques et comme « soufflés ».

Ses « armes » ?

Quelles sont les armes de votre nouveau-né pour se défendre contre les agressions de la vie, et quels sont ses atouts pour profiter des bienfaits de celle-ci ?

Contre ses principaux ennemis, les virus et les bacilles, il dispose d'une **immunité temporaire** de six mois, grâce aux anticorps de sa mère qui sont passés dans son sang. Par la suite, les vaccins prendront la relève, et le bébé élaborera lui-même sa propre défense contre les divers assaillants microbiens.

Il dispose également de **réflexes vitaux**, grâce auxquels il réagit sans penser. Le principal réflexe est celui de la succion. Dès les premières heures de la vie, cet instinct l'incite à enrouler sa langue en gouttière autour du téton ou de la tétine qu'on approche de ses lèvres. Et, par un mouvement de reptation, le lait recueilli est envoyé vers l'œsophage.

Le bébé possède aussi un **réflexe de préhension** : si on glisse un doigt dans sa menotte, il s'y cramponne avec force. Une expérience a montré qu'il pouvait rester cramponné à ce doigt au-dessus du vide, supportant ainsi le poids de son propre corps, alors que dans d'autres circonstances, il serait incapable de porter quatre kilos au bout de son bras. Ce réflexe de préhension est ici conjugué avec le **réflexe de Moro**, inspiré par la peur instinctive du vide.

La force du nouveau-né réside aussi dans sa malléabilité. De l'élasticité de son squelette et de la mollesse de ses chairs, il tire une certaine **non-fragilité**. S'il tombe de la commode à langer, il ne se tuera pas, et peut-être même ne souffrira-t-il que très peu. S'il se met à hurler, sans doute sera-ce de peur rétrospective.

Malgré un équipement de première nécessité qui lui permet de s'adapter à notre monde, les ressources des bébés sont assez limitées. L'homme est de tous les animaux de la création (mais oui, c'est un animal !) celui dont la progéniture est la plus vulnérable. Sans les soins des adultes, le petit d'homme mourrait rapidement. Sa plus grande faiblesse est qu'il ne sait pas se défendre contre le froid. Il faut le couvrir car ses **centres thermiques** sont mal réglés, et d'autant plus s'il fait froid. Son **système nerveux** est encore immature, car les fibres nerveuses ne revêtent que peu à peu leur gaine de myéline. Il n'acquiert coordination et contrôle de ses mouvements qu'au fil des ans.

Quant à ses **facultés intellectuelles**, elles sont immenses. Non pas que l'enfant soit capable d'une pensée déductive, mais son activité cérébrale est intense. A sa naissance, il n'est équipé que de réflexes pour agir sans penser, et, huit mois plus tard, il est capable d'appeler sa mère pour réclamer un biberon. Preuve qu'il a acquis une connaissance précise de certaines règles. Tout ce chemin n'a été parcouru si vite que grâce à une puissance d'attention et de concentration considérables. Comme l'écrit Rose Vincent[1] : « L'intelligence du tout-petit est d'abord empirique et procède par tâtonnements expérimentaux. Ces tâtonnements lui permettent de se représenter le monde tel qu'il est et de s'y reconnaître. » Le bébé n'est pas du tout cette larve, ce tube digestif, cette chose végétative qu'on a bien voulu décrire. Il dispose d'une **mémoire enregistreuse** fantastique. Tout ce qui est vu, goûté, entendu, senti, ressenti est stocké dans les centres de la mémoire. Dès que les cellules cérébrales auront atteint un stade de maturité suffisant pour se livrer à des travaux d'analyse, de déduction et de spéculation, de l'accumulation de toutes les données enregistrées l'enfant tirera les enseignements utiles. Mais il est bien certain que sur cette cire vierge qu'est la mémoire à la naissance, les premières impressions fournies par le monde environnant seront à jamais gravées de façon indélébile. C'est si vrai qu'on a pu conclure (en exagérant un peu !) que l'avenir d'un enfant se jouait avant trois ans.

1. *Connaissance de l'enfant* par Rose Vincent (Editions Marabout-Service).

Les tests à la naissance

Les deux questions que posent immédiatement les femmes qui viennent d'accoucher sont : « Est-ce une fille ou un garçon ? », et « Mon bébé est-il normal ? »

Ne croyez pas que seule la mère se soucie de la normalité de son enfant. Implicitement, l'accoucheur se pose la même question. C'est pourquoi l'enfant est soumis, dès la naissance, à divers tests qui confirment généralement l'impression première du médecin.

On va d'abord demander au bébé de remporter un score, le premier de sa vie, dénommé *score d'Apgar*, du nom de la pédiatre américaine, Virginia Apgar, qui l'a mis au point. Il consiste à noter, de zéro à dix, cinq comportements vitaux. Un bébé normal fait un score moyen de dix à chaque épreuve. Au-dessous de deux points, son comportement est considéré comme un comportement de mort. Il est alors dirigé immédiatement vers une section spécialisée dans les soins intensifs où on essayera de le sauver.

Le deuxième test, pratiqué de plus en plus à la naissance, est le *test de Guthrie*. On prélève sur le talon du nouveau-né une goutte de sang qu'on met en culture, dans un laboratoire, sur un bouillon microbien. Les résultats fourniront le renseignement demandé, à savoir la présence ou l'absence d'un enzyme d'un type particulier, enzyme sans lequel l'enfant ne pourrait pas synthétiser certains aliments comprenant un acide aminé, la phénylalanine. Cet acide augmente peu à peu dans le sang et produit sur le cerveau des dommages qui se manifesteront par un comportement de débilité. (On a longtemps cru que cette forme de débilité était héréditaire, on sait aujourd'hui que ce n'est pas une fatalité.) Or, tous les aliments ne contiennent pas le dangereux acide aminé, et, pour sauver l'intelligence de l'enfant, il suffit d'éliminer de sa nourriture tous ceux qui en contiennent. Lorsque le test de Guthrie a révélé un cas, la diététique vient à son secours.

Le choix de son prénom

Dans les trois jours qui succèdent à la naissance, le père doit aller déclarer son enfant à la mairie, muni d'une pièce d'identité et d'un certificat de naissance que le médecin lui remettra. Alors se pose de façon cruciale la question de donner un prénom à son enfant. Certains parents ont fait leur choix depuis longtemps, d'autres tergiversent jusqu'à la dernière minute.

En tout cas, avant de doter votre enfant d'un prénom qui le désignera toute sa vie, posez-vous quelques questions, prenez une minute de réflexion, car l'affaire n'est pas aussi futile qu'on croit.

Nous connaissons tous de ces adultes qui souffrent intérieurement d'être affublés d'un prénom qui ne leur convient pas, ou qui sont sujets à des boutades constantes, à la longue déplaisantes. Des Prosper, par exemple, qui deviendront des « Youp la Boum », des Barbara et des Charles-Henry qui seront bien mal à l'aise devant leurs collègues de l'usine, etc. Les prénoms anglais font snob, les prénoms à la mode datent vite, les prénoms à orthographe variable posent sans cesse des problèmes. L'auteur de cet ouvrage, qui, depuis trente-huit ans, doit épeler son prénom, peut vous l'assurer. Les prénoms prêtant à des « jeux de mots » ne font pas rire longtemps : Jean Bon ou Franck Fort.

On a dit que le prénom influençait le caractère de son propriétaire. Toutes les Michèle seraient des filles franches et sportives, les Denise des filles légères... Allons, allons, ce n'est pas sérieux ! En fait, les parents ont une idée derrière la tête quand ils choisissent le prénom de leur enfant. Ce choix reflète leurs ambitions secrètes, leur milieu social, leur niveau de culture... Ce sont ces données-là qui influenceront le caractère de l'enfant, non son prénom, qui ne joue que comme révélateur du calcul familial.

Chapitre XVII

Le retour
à la vie d'avant

Ce chapitre est un des derniers de ce livre. Pour vous, il est le premier d'une nouvelle vie qui commence, votre vie de mère. Tout de suite après votre accouchement, diverses questions vont se poser à vous, nous tenterons ici d'y répondre. Après votre séjour à la clinique, qui assure opportunément la transition, vous allez reprendre votre vie d'avant. Comment vous remettre sur les rails ?

Votre séjour en clinique

La Sécurité sociale vous conseille de vous laisser prendre en charge pendant douze jours par les infirmières et les puéricultrices de l'établissement où vous avez accouché. Profitez-en. Ces semi-vacances, vous les avez bien méritées, et elles ne seront pas inutiles.

En premier lieu, vous vous reposerez. On vous surveillera sur le plan médical (infection possible des organes génitaux, pertes de sang, constipation, montée laiteuse, agrafes s'il y a eu épisiotomie...) Ensuite, on s'occupera de votre bébé, et rien ne vaut l'exemple des professionnelles, même si par la suite vous agissez autrement. Quelques démonstrations pour donner le sein ou le biberon, pour faire la toilette, pour langer votre enfant vous permettront d'enchaîner plus facilement dès votre retour à la maison. Ces journées sont d'ailleurs agréables. Vous êtes très entourée. Tous vos amis accourront, les bras chargés de fleurs et de présents, pour voir le nouveau-né et vous féliciter. Vous ne vous ennuyerez pas ; au contraire, vous serez sans cesse occupée. Si vous êtes dans une chambre à deux lits, vous ferez connaissance avec votre voisine. Deux toutes jeunes mères ont toujours beaucoup de choses à se dire. Si vous avez une chambre pour vous toute seule, votre mari pourra venir s'y installer pendant ses trois jours de congé (offerts par une convention du travail).

Au bout de dix à douze jours, vos forces étant revenues, vous aurez envie de retrouver votre maison, de mettre votre petit dans le berceau que vous lui avez préparé, et de retrouver vos chères habitudes. Mais là, une surprise vous attend peut-être...

Une petite dépression

Eh oui ! Le retour à la maison s'accompagne assez souvent d'une petite dépression nerveuse, dont la cause est à la fois physique et psychologique.

Physique parce que cette période correspond à une modification du train hormonal qui a mené grossesse et accouchement ! Vous passez maintenant à un autre régime, il y a un nouvel équilibre à trouver, et, pendant ce temps, vous vous trouvez dans une sorte de « passage à vide » qui, s'il devait se prolonger, pourrait être soigné par le médecin. Mais les médicaments sont rarement nécessaires, et une bonne attitude envers son propre corps consiste à le laisser le plus possible se défendre seul contre ses divers agresseurs. C'est ainsi qu'il acquiert de la résistance.

Cette dépression — qu'on appelle aussi le « **cafard des accouchées** » et, en Grande-Bretagne, le *Blue feeling* (les idées bleues, pourquoi pas ? En France, nous voyons bien *la vie en rose* !), est due également à un découragement devant la tâche qui se présente : bébé, ses biberons, sa toilette, ses changes, ses pleurs, ses cris, sa fragilité apparente, votre incompétence provisoire (et peu réelle finalement, car l'instinct est là pour pallier. Il y a des millions d'années que les femmes deviennent mères : cela finit par leur conférer une sorte de connaissance innée, une savante intuition).

Les « idées bleues » peuvent vous rendre morose une semaine ou deux, vous rendre grincheuse, vous donner envie de pleurer, de tout laisser tomber. La compagnie de votre mère, sœur ou meilleure amie vous aidera à franchir le cap. Le meilleur remède est de ne pas se sentir seule devant la tâche apparemment écrasante que vous avez devant vous, et d'autant plus écrasante que vous êtes fatiguée. Ce n'est pas rien de porter un bébé pendant neuf mois, puis d'accoucher. Votre organisme a été bouleversé sur tous les plans. Vous êtes un peu dans la situation de l'étudiant qui vient de passer des examens difficiles et qui apprend qu'il est reçu, avec, comme conséquence, quatre ou cinq années d'études devant lui. Il est « vidé », et s'il fallait enchaîner tout de suite, il en serait incapable.

S'ajoute peut-être aussi à ce sentiment une petite déception devant la qualité de la joie que vous éprouvez d'avoir un enfant. Vous vous attendiez à plus, à mieux, et ce n'est que cela. Mais votre joie reviendra. De même que **l'amour maternel** que vous vous attendiez à éprouver pour votre bébé. On a fini par reconnaître que cet amour ne relève pas obligatoirement du coup de foudre. Parfois, il vient lentement. Il faut faire connaissance avec l'inconnu que vous abritez sous votre toit, donc passer du temps avec lui à le soigner et à le dorloter. Le Temps, ciment de la plupart des grands sentiments humains !... Et l'amour d'une mère pour son enfant est l'un des plus forts, sinon « le » plus fort des amours.

Il peut arriver cependant qu'il tarde à se manifester. Nous avons toutes entendu des histoires de mères que la société qualifie d'indignes, qui se sont désintéressées de leur enfant au point de le confier à une mère adoptive. On sait aussi comment ces histoires se terminent. Les drames qui entourent l'adoption découlent souvent d'un éveil tardif du sentiment maternel, éveil d'autant plus exaspéré qu'il a été longtemps frustré, bloqué quelque part par une inhibition qui peut venir de loin, tel le souvenir d'une enfance malheureuse et sans amour.

Et votre vie sexuelle ?

Il faut deux mois pour que l'utérus et l'ensemble des organes génitaux se remettent en place et reprennent leur taille normale. Un mois et demi passera avant le retour des couches, un peu plus si vous allaitez. La sagesse consisterait à ne pas reprendre les rapports sexuels avant que tout soit redevenu normal. D'abord, parce que ce ne sera pas très agréable ; ensuite, parce que vous risquez facilement d'être fécondée ; enfin, parce qu'aucune **contraception** n'est souhaitable dans cette période (sauf la méthode des températures si vous l'utilisiez avant et si vous connaissez bien votre cycle, sa régularité, votre période d'ovulation, etc.)

Utérus, vagin, vulve ont été malmenés et distendus par la grossesse et l'accouchement. S'il y a eu épisiotomie, la région du périnée est restée sensible. Bref, vous pouvez faire l'amour si vos sens l'exigent et si le désir impérieux de votre mari vous convainc, mais n'en attendez pas de vives satisfactions. Par contre, dans quelques mois, tout sera redevenu possible, et peut-être mieux qu'auparavant. Une maternité, loin d'altérer le plaisir des sens, le magnifie, au contraire.

Quant au **retour des couches**, il signifie que votre cycle a repris, qu'une ovulation a eu lieu deux semaines auparavant. Tant que ce retour de couches n'a pas eu lieu, vous ne pouvez pas savoir si vous êtes enceinte ou non. Pourtant, on dit que dans certaines peuplades primitives, on utilise l'allaitement comme méthode de contraception, car celui-ci retarde le retour des couches, donc l'ovulation, et rend la femme infécondable... Trop d'accidents sont survenus pour qu'on puisse prendre de tels risques. Une nouvelle grossesse, immédiatement après celle-ci, ne serait pas bonne pour votre organisme. Quant à un avortement...! Laissez votre système génital tranquille pendant quelque temps. Qu'est-ce que deux mois d'abstinence par rapport à toute une vie !

Si vous n'allaitez pas, vous pouvez recommencer à prendre la pilule une semaine après votre accouchement. Tout en sachant que cette prise va accélérer la productions de *lochies*, ou sécrétions vaginales et utérines composées de filaments de membranes qui traînent encore dans votre utérus. Si vous allaitez, renoncez à la pilule, qui trouble la lactation. Le stérilet et le diaphragme ne peuvent être remis en place tant que l'utérus n'a pas repris sa taille normale.

Allaiterez-vous ?

Dans tous les manuels de puériculture, on vous conseille avec insistance d'allaiter. Tant et si bien que si, pour une raison ou pour une autre, vous ne pouvez ou ne voulez allaiter, vous vous sentirez culpabilisée. En vérité, il n'y a pas de quoi. Quels arguments développe-t-on pour vous convaincre ?

Le lait maternel augmenterait l'immunisation du bébé, les anticorps de la mère passant dans le lait et protégeant l'enfant pendant six mois. C'était sans doute vrai et nécessaire autrefois, quand l'hygiène de vie était sommaire, quand les vaccins n'existaient pas encore. Dans notre société super-civilisée, où l'on substitue aux défenses naturelles de l'organisme une médication aussi efficace qu'éphémère, ces défenses naturelles s'affaiblissent. Le corps perd l'habitude de se défendre tout seul en fabriquant des anticorps. Alors, quelle est la valeur de l'immunisation par le lait maternel ? Sans doute assez relative.

On dit aussi que le lait maternel est plus facile à digérer (une heure et demie au lieu de trois), toujours bien dosé et à bonne température[1]. Mais les biberons peuvent l'être aussi ! Bien dosé, d'ailleurs, le lait maternel ne l'est pas toujours : certains laits de femme sont trop pauvres. Quant à la digestibilité, on est en train de fabriquer des laits industriels dans lesquels on introduit diverses substances (lacto-sérum, mucine hydrolisée) qui rendent le produit très assimilable (Nursie, Nativa).

Quant au contact intime avec la mère, du moment que l'enfant est tendrement dorloté dans les bras pendant les repas, il a autant de valeur lorsque l'enfant est au sein que lorsqu'il est au biberon. L'important est de donner à boire avec plaisir et tendresse. Cela, bébé le sent vraiment, comme il peut sentir qu'on se débarrasse d'une corvée en le nourrissant, et en éprouver une vive tristesse, voire manquer d'appétit.

Si vous décidez d'allaiter, sachez évaluer exacte-

1. Des expériences récentes faites à Strasbourg sur soixante-sept dosages ont révélé la présence dans le lait maternel de pesticides, probablement absorbés par la mère avec les fruits et les légumes.

ment les bienfaits que vous procurerez à votre enfant, mais pour agir en connaissance de cause, sachez aussi à quels ennuis vous vous exposez (ceux-là, on n'en parle pas beaucoup dans les manuels). Il y a d'abord les problèmes de la montée laiteuse : seins qui s'engorgent, durcissent, deviennent très douloureux. Pour les soulager, il faut qu'on leur tire le lait. On fait appel à un tire-lait électrique ou manuel, ce qui est assez décourageant. Au début, bébé a du mal à se mettre au sein. Non qu'il ne sache pas téter, au contraire, il le sait parfaitement d'instinct, mais il n'y arrive pas bien. Les mamelons sont souvent trop petits. La tétée va les former, mais il faut du temps. Parfois, ils sont franchement insaisissables, il faut renoncer. Par la suite viendront d'autres difficultés ou ennuis, passagers ou durables. Le sein qui n'est pas tété coule, il faut donner un peu des deux seins en même temps. La crevasse apparaît presque inévitablement qui vous fait souffrir, et le baume qu'on vous prescrit n'est pas très efficace ; on donne alors toujours le même sein, jusqu'à ce qu'une crevasse y apparaisse aussi, qui incite bien souvent à renoncer définitivement à l'allaitement.

Entre les tétées, les seins coulent. Il faut mettre des petits capuchons pour éviter qu'ils ne mouillent la robe. Enfin, le lait se tarit une fois sur deux à la fin du premier mois (l'hormone prolactine semble moins active qu'autrefois). Il faut passer à l'allaitement mixte, ce qui fait que vous avez en même temps les problèmes de l'allaitement au sein et ceux de l'allaitement au biberon. Tous ces soucis pour commencer le sevrage au bout d'un mois et demi (parce que dans quinze jours vous reprendrez le travail). Sevrage qui laissera un enfant plus ou moins furieux du changement. Au bénéfice de l'allaitement, il faut mettre, pour le bébé, l'absence de diarrhée, le risque de toxicose annulé, et, pour la mère, le plaisir qu'il y a à donner le sein (quand il n'y a pas de crevasse). A vous de décider !

Votre remise en forme

Nous avons déjà évoqué cette question au chapitre : *protégez votre beauté*. Vous savez donc déjà qu'un mois après votre accouchement, si vous n'allaitez pas, vous pouvez entreprendre un régime « basses calories », presque désodé en buvant beaucoup d'eau pour éliminer les kilos supplémentaires. L'utérus mettant au moins deux mois à retrouver sa taille normale, ne vous inquiétez pas si vous conservez un petit ventre rondelet pendant quelque temps. Faites tous les jours de la gymnastique en insistant sur les abdominaux pour que les muscles distendus reprennent leur forme. Marchez tous les jours et aérez-vous le plus possible.

Et puis laissez passer le temps ; c'est surtout lui qui effacera vraiment les traces physiques de l'étonnante épreuve à laquelle votre corps vient d'être soumis.

Chapitre XVIII

Tout ce qu'il faut pour accueillir bébé

Nous n'en doutons pas : vous serez déroutée par la quantité d'objets à acquérir pour pouvoir accueillir convenablement votre bébé. Ce petit être de trois kilos va non seulement vous mettre dans l'obligation de bouleverser les plans de votre installation, peut-être même vous faire changer d'appartement, mais il va aussi sérieusement écorner votre budget.

Heureusement, toutes les aides financières que vous avez reçues, et que vous recevrez encore des organismes sociaux, vont couvrir partiellement vos dépenses.

Dans ce chapitre, nous mentionnerons l'essentiel. A vous d'apprécier dans quelle mesure le superflu est nécessaire.

Sa chambre

Vous n'aurez peut-être pas la chance de pouvoir donner à votre bébé une chambre, du moins au début. Dans ce cas, installez dans une partie de votre studio « son coin », délimité par une cloison ou un paravent derrière lequel vous rangerez tout ce qui le concerne, layette, literie, objets de toilette.

Si vous pouvez lui consacrer une pièce, c'est mieux, évidemment. Choisissez la mieux exposée et la plus calme de l'appartement. S'il faut « refaire » cette pièce, concevez-la entièrement lavable avec des **peintures lavables** sur les murs (qu'il faut repeindre au moins deux mois avant la naissance) et un **revêtement plastique** sur le sol. Les **couleurs** doivent être reposantes, et non pas criardes. Il paraît que l'orange et les teintes chaudes en général encouragent l'éveil intellectuel. Si vous y croyez, pourquoi pas ? mais n'allez pas jusqu'aux couleurs agressives qui sont fatigantes ; la chambre est avant tout un endroit de repos. On préférera l'uni aux motifs imprimés qui deviennent obsessionnels. Des **rideaux** doubles, il en faut, de préférence sombres pour créer de la pénombre pendant la sieste. Les **voilages** ne sont pas indispensables, mais créent une ambiance reposante. En ce qui concerne l'**éclairage**, mieux vaut des lampes avec abat-jour qu'un lustre ou un plafonnier, car l'enfant aura tendance à fixer ceux-ci des yeux, et peut-être à en faire l'objet de ses cauchemars. Si vous posez des **prises de courant**, choisissez des modèles avec « cache » ou installez-les assez haut ; dans une dizaine de mois, votre enfant sera déjà en âge d'aller mettre ses doigts dedans.

Son mobilier

Quel **lit** choisir ? Tout est possible, mais si l'économie guide vos achats, voici une formule peu onéreuse. Achetez pour les premiers mois un **couffin** monté sur des pieds métalliques. Ce couffin vous est indispensable pour transporter bébé et pourra au début servir de berceau. Ensuite, achetez un **lit anglais** à barreaux réglables. Votre enfant pourra y dormir jusqu'à trois ans au moins. Rien ne s'oppose à ce que vous y couchiez immédiatement votre enfant, mais il s'y sentira un peu perdu. Les barreaux ont l'avantage de ne pas lui cacher le monde qui l'entoure, si nécessaire à son éveil, et, réglables, ils peuvent se monter ou s'abaisser suivant les besoins. Vous pouvez installer une **flèche** au-dessus et y accrocher une **moustiquaire** ou des voilages, qui se révéleront utiles contre les mouches et les moustiques.

En plus d'un lit, vous aurez besoin d'une **commode** pour y ranger les vêtements et les couches. Prenez un meuble assez grand, d'abord parce que vous aurez beaucoup de petites pièces à y mettre, ensuite pour que le dessus vous serve de table à langer. Vous y déposerez un matelas à langer de forme creuse, à boudins sur les côtés pour empêcher le bébé de rouler ; il sera recouvert d'une toile en plastique et muni de poches dans lesquelles ranger les principaux articles de toilette.

Pour l'instant, rien d'autre n'est nécessaire dans cette pièce. Plus tard, il faudra y loger un parc, une chaise haute, une petite chaise et un pot de chambre.

Sa literie

Si vous achetez un couffin muni de poignées pour le transport, il sera garni à l'intérieur d'une petite **paillasse** en crin et laine. Vous devrez y ajouter une **alèze**, un **molleton** et un **drap.** Au-dessus, un **drap** et une **couverture**, plus un **oreiller** en crin, et non en plumes (bébé risquerait de s'y étouffer) de la même largeur que le matelas (s'il est trop court, la tête de l'enfant roulerait dans les creux des côtés). Vous pouvez confectionner vous-même trois paires de petits draps, à partir de quelques mètres de coton ou de batiste garnis de galon ou de dentelle. Vous réaliserez une économie importante.

Pour ce couffin-berceau, il vous faut aussi une couverture de laine, chaude et légère, qui ne peluche pas. Pour le lit anglais, on vous proposera sans doute un **matelas de mousse.** Préférez-lui un matelas de crin végétal, plus sain, sur lequel il faudra également poser une alèze et un molleton (à cause de la transpiration). Trois paires de draps et autant de taies d'oreiller sont nécessaires, plus une grande couverture que vous avez intérêt à recouvrir d'une housse de toile afin de n'avoir que la housse à laver et de régler le problème des peluches.

Sa layette

Il est bon d'acquérir la layette dès le sixième mois de grossesse. On ne sait jamais, votre bébé peut venir plus tôt, et, de plus, il est pénible de courir les magasins quand on est sur le point d'accoucher.

La layette du *premier âge* convient jusqu'à trois mois, celle du *deuxième âge* jusqu'à six mois. Si vous avez peu de place chez vous, n'achetez que la layette des trois premiers mois. Voici sa composition :
- trois chemises de toile fine ;
- trois brassières de laine ;
- trois bavoirs (à nouer dans le dos) ;
- un cache-brassière (très utile) ;
- un cache-cœur (s'il fait froid) ;
- une veste de laine ;
- deux culottes de laine ;
- deux grenouillères ;
- deux pyjamas en tissu-éponge ;
- une paire de moufles ;
- un bonnet ;
- un peignoir de bain avec capuchon ;
- trois paires de chaussons et chaussettes ;
- une bande pour le ventre de 7 centimètres de largeur ;
- deux langes de laine ou de rhovyl.

La layette pour le deuxième âge comporte les mêmes pièces sauf les langes qui ne serviront que les deux premiers mois. Beaucoup de jeunes mères ne veulent plus emmailloter leur bébé et le priver de la liberté d'agiter ses petites jambes. Elles n'ont pas tort. Toutefois, les langes sont utiles en hiver et en automne, car le nouveau-né se refroidit facilement et il est sensible au moindre courant d'air, au moindre changement de température.

Son change

Les **couches en cellulose** à jeter sont maintenant entrées dans les mœurs. N'y renoncent que les mamans qui se rendent compte que le fessier de leur bébé ne les supporte pas. Elles ne coûtent pas plus cher que les couches en coton si l'on calcule le temps consacré en trempage, lavage, séchage, repassage, pliage des couches en coton ; la dépense en combustible, en eau, en détergent, en assouplissant qu'elles nécessitent ; l'odeur ; sans oublier l'aspect esthétique (une salle de bains envahie par des couches qui sèchent, ce n'est pas joli) et le désagrément que représente ce lessivage quotidien pendant deux ans.

Même si vous optez pour les couches en cellulose ou en **coton hydrophile sous filet** (les plus chères, mais les plus faciles à supporter pour une peau particulièrement sensible), il vous faudra des couches en coton, mais en moins grand nombre.

Le change classique se compose de :
- dix-huit couches carrées à double tissage ;
- douze pointes ;
- cinq couches-triangle en rhovyl ou couches-culottes.

Vous n'aurez besoin que de la moitié de ces articles si vous utilisez à la fois couches en coton et couches en cellulose (la nuit, nous vous conseillons celles de coton car bébé macère dans son urine toute la nuit et la cellulose se dégrade sous l'effet de l'acide urique). La couche en cellulose n'est supportable que si elle est souvent changée (sept à huit fois par jour).

Actuellement, quelques fabricants proposent « **le**

change complet ». La formule est intéressante. Elle vous évite de nombreuses manipulations, mais revient plus cher.

On remplace de plus en plus la culotte en caoutchouc par des **pointes** en fin plastique blanc. Elles ont l'avantage de serrer moins les cuisses du bébé et se jettent après usage.

Ce qui fut pendant longtemps une corvée pour les jeunes mères est donc en passe de disparaître. Il faut s'en réjouir, à condition que les petites fesses de bébé n'en fassent pas les frais.

Enfin, pour les mères plus pressées, il existe dans les grandes villes des services de nettoyage de couches qui fournissent les couches, les reprennent à domicile quand elles sont sales (deux ou trois fois par semaine) et les rapportent propres. Dans ce cas, il suffit d'acheter quelques couches de dépannage.

Sa toilette

Pour faire la toilette de bébé, vous aurez besoin d'une petite baignoire (soit une grande bassine en plastique de couleur, soit une cuvette en toile plastifiée fixée sur une armature tubulaire qui peut se poser au fond de la baignoire des adultes ou sur une table).

Voici la liste de ses produits de toilette :
- une boîte de talc ou de farine de maïs, si le talc vous fait peur ;
- un paquet de coton ;
- un savon sans parfum ni colorant ;
- un flacon de lait de toilette (pour le visage) ;

- deux gants de toilette en coton doux ;
- un flacon d'eau de toilette à peine alcoolisée ;
- une douzaine d'épingles à nourrice ;
- une paire de ciseaux spéciaux pour les ongles de bébé ;
- une brosse à cheveux en soie ;
- une éponge naturelle ;
- des bâtonnets-coton-tige pour les oreilles ;
- du sérum physiologique pour le lavage des fosses nasales.

Tout ce matériel peut être rangé en grande partie dans un **panier de toilette** doublé de toile plastifiée. Il est très important de ne pas avoir à chercher dans tous les coins de la maison le matériel de toilette.

On a remarqué que bébé fait souvent ses besoins lorsqu'il est dénudé sur la table à langer et que sa mère s'apprête à le plonger dans l'eau. Pour limiter ces dégâts, on a inventé un **protège-couche**, sorte de feuille en papier spécial qu'on glisse sous le derrière du bébé. S'il fait une selle, il est alors facile de la jeter.

C'est juste avant le bain (après, il frissonne un peu) que vous pèserez votre enfant. Il vous faut donc un **pèse-bébé**, que vous achèterez (et que vous reconvertirez ensuite en balance de cuisine), ou que vous louerez, soit chez le pharmacien, soit dans un service de location pèse-bébé (à Paris, le numéro de téléphone de ce service est 874-84-35).

Son alimentation

Vous aurez besoin d'un **stérilisateur** à panier métalli-

que pouvant contenir six biberons, plus un, celui qui est destiné au jus de fruit ou à la tétée de nuit :
- de **sept biberons** gradués en verre incassable à large goulot ;
- de **sept tétines** et d'autant de **protège-tétines**.

Pour les voyages, vous pouvez prévoir **deux biberons en plastique**. Pour vos séjours chez des amis avec bébé, un **stérilisateur** à pastille désinfectante. Il suffit d'immerger le biberon dans l'eau du bac pour le stériliser juste avant l'emploi. Le **chauffe-biberon** est pratique pour le premier biberon du matin. Le **thermos** à biberon permet, en voyage, de servir à bébé du lait à bonne température.

Ses promenades

Même si vous habitez la campagne, vous ne pourrez pas éviter l'achat d'un **landau**. C'est une dépense que vous amortirez en deux ans, et en plus d'années si vous achetez un landau dont la base peut s'adapter à la **poussette**. Vous avez le choix entre le landau classique en toile plastifiée ou le landau moderne en matériau rigide, de forme aérodynamique, ou encore celui qui possède une capote plastifiée transparente pour que bébé puisse mieux voir ce qui se passe autour de lui. Tous les modèles sont bons, mais veillez à ce que l'intérieur de la voiture soit doublé dans une teinte assez sombre, car les teintes claires éblouissent les yeux lorsque le soleil est de la partie.

Vous transporterez aussi bébé dans son couffin en osier muni de poignées sur les côtés. A partir du huitième mois, vous pouvez le transporter dans un **porte-bébé dorsal.** Pour les transports en automobile, le couffin fera l'affaire dans les premiers mois. A partir d'un an, bébé sera installé dans un **siège-auto**, solidement arrimé à un dossier, d'où il pourra regarder le paysage.

Sixième partie

Les problèmes administratifs

Dès que vous serez sur le point d'être mère et de fonder une famille, l'Etat prendra en charge une partie des frais que vous devrez supporter. Deux organismes s'occupent de vous : la caisse d'allocations familiales et la Sécurité Sociale.

Les aides financières apportées à l'occasion d'une maternité s'appellent les prestations familiales.

Une loi récente (4 janvier 1985) modifie les mesures connues depuis longtemps. Elle vise à simplifier les choses. Y arrivent-elles ? c'est une autre affaire. Elle espère en tous cas encourager à la constitution des familles nombreuses.

Chapitre XIX

Les prestations familiales

*Les nouvelles prestations familiales se répartissent
comme suit :*
— l'allocation au jeune enfant
— les allocations familiales
— le complément familial
— l'allocation logement
— l'allocation d'éducation spéciale
— l'allocation de rentrée scolaire
— l'allocation de parent isolé
— l'allocation parentale d'éducation.

Ont droit à ces prestations :
— tout enfant âgé de moins de 16 ans, jusqu'à la fin
de l'obligation scolaire,
— tout enfant âgé de moins de 17 ans et dont la
rémunération éventuelle n'excède pas un plafond,
— tout enfant âgé de moins de 20 ans, à condition
qu'il poursuive des études ou qu'il soit en apprentissage.

L'allocation au jeune enfant remplace les allocations
prénatales et postnatales d'antan. Elle est versée
pendant la grossesse et jusqu'au troisième mois après
la naissance. Elle est prolongée jusqu'aux trois ans de
l'enfant, à condition que les ressources des parents
n'excèdent pas un certain plafond.

Pour simplifier, cette allocation sera (en gros) de
700* francs par mois dès le troisième mois de
grossesse et jusqu'à ce que l'enfant ait trois ans (pour
un certain plafond de ressource pas encore fixé à
l'heure où nous imprimons).

Au-delà d'un certain plafond, cette allocation sera

---

* chiffres 1985

environ de 712 francs par mois, mais pendant 9 mois seulement.

L'allocation de maternité, ou prime à la naissance, ou encore allocation post-natale, est supprimée.

Les allocations familiales sont maintenues, évidemment. Ce droit est ouvert à toute personne qui exerce une activité professionnelle, réside en France et assume la charge d'au moins deux enfants. Elles sont versées tant que dure l'obligation scolaire, et six mois au-delà, pour l'enfant à charge non salarié. Le taux de ces allocations est fixé sur le pourcentage du salaire de base servant aux calculs des prestations familiales. Elles augmentent avec le nombre d'enfants à charge et sont payables tous les mois.

L'indemnité compensatrice ainsi que l'**allocation de salaire unique** et celle **de mère au foyer** sont supprimées.

Le congé de naissance, octroyé au père à l'occasion d'une naissance est maintenu.

La rémunération versée aux bénéficiaires pour les trois jours de congé a donc à la fois le caractère d'un salaire et celui d'une prestation familiale... Le père illégitime y a droit aussi, à condition qu'il ait reconnu l'enfant et vive avec la mère.

L'allocation logement est maintenue et tend à couvrir les dépenses que les personnes isolées, les jeunes ménages ou les familles ayant des charges lourdes, supportent pour se loger dans des conditions satisfaisantes. Pour y avoir droit, il faut :

— être allocataire, c'est-à-dire bénéficier des autres prestations déjà décrites : être locataire ou sous-locataire, ou accéder à la propriété ; habiter un local répondant à des conditions minimales de peuplement et de salubrité.

Il faut produire un certain nombre de pièces pour accéder à cette allocation, moyennant quoi on obtiendra une aide financière qui sera versée en même temps que les allocations familiales. A signaler : le plafond de ressources exigé pour l'attribution de l'allocation logement est très bas et tient compte du nombre d'enfants à charge.

L'allocation pour frais de garde n'existe plus. Quant à **l'allocation de rentrée scolaire**, elle s'exerce pour chaque enfant à partir de 6 ans et jusqu'à 16 ans, fin de la scolarité obligatoire, à condition de justifier d'un plafond de ressources assez bas.

On retrouvera les bénéfices de diverses allocations anciennes dans une nouvelle allocation, dite **« allocation parentale d'éducation »** qui est versée à des parents obligés d'interrompre leur activité professionnelle à l'occasion d'une naissance ou d'une adoption, portant à trois (ou plus) le nombre d'enfants à charge. L'ouverture du droit dépend de l'exercice de deux années d'activité professionnelle dans les trente mois qui précèdent la naissance. La situation en chomage est assimilée à une activité professionnelle. L'allocation parentale d'éducation a une durée de 24 mois maximum. Elle vise donc à encourager les jeunes mères à interrompre momentanément leur travail à l'extérieur pour s'occuper des enfants en bas âge au moins pendant deux ans.

Ces renseignements sont fournis à titre indicatif et ne peuvent se substituer à une demande de renseignements individualisés que les parents ont intérêt à faire eux-mêmes auprès de leur caisse d'allocations familiales, sachant que celle-ci est tenue d'informer les allocataires qui en éprouvent le besoin. La législation dans ce domaine est très complexe, tient compte d'un grand nombre de cas de figures, parmi lesquels figure sans doute le vôtre. Donc, n'hésitez pas, allez-y, exposez votre cas et repartez munis de tous les renseignements qui vous intéressent.

A noter que bientôt la caisse d'allocations familiales s'occupera du recouvrement des pensions alimentaires auprès des conjoints oublieux ou négligents.

Chapitre XX

Les remboursements de la Sécurité sociale

Les frais d'accouchement
Vous serez remboursée en fonction de l'endroit où vous accoucherez.
— A l'hôpital, tous les frais seront réglés directement par la caisse de l'hôpital ;
— dans une clinique agréée, vous toucherez un forfait pour vous aider à payer les honoraires de l'accoucheur et les frais pharmaceutiques ; les frais de clinique sont également remboursés au forfait. L'accouchée doit payer de sa poche une petite différence.
— Dans une clinique conventionnée, vous n'avez rien à payer dans la plupart des cas. Mais il peut arriver que la S.S. ne vous rembourse qu'une somme forfaitaire sur les honoraires de l'accoucheur, ou de la sage-femme. Renseignez-vous d'avance.

Les visites médicales
A la maternité, à l'hôpital, dans un dispensaire, dans un centre de Protection maternelle et infantile (PMI) les visites sont gratuites. Chez un médecin conventionné aussi, si les tarifs correspondent aux normes de la SS.
Chez un médecin non conventionné, l'écart entre le remboursement de la SS et les honoraires est assez grand.

Les frais de préparation à l'accouchement sans douleur
Ils sont remboursés à 100 % jusqu'à concurrence de

huit cours, à condition qu'ils soient donnés par un médecin ou une sage-femme conventionnés.

Les médicaments

A partir du 6ème mois de grossesse, ils sont remboursés à 100 %, ainsi que les frais de laboratoire. Auparavant, le régime correspond à celui qui est le vôtre ordinairement. La ceinture de grossesse n'est plus prise en compte par la SS.

Le congé de maternité

Vous avez droit à 6 semaines de congé avant l'accouchement et à 10 semaines de repos après l'accouchement, si vous êtes salariée et si vous cotisez à la SS. Les indemnités journalières sont payées, soit à la caisse elle-même sur présentation des pièces nécessaires, soit par mandat ou virement.

Chapitre XXI

Les services d'assistance aux mères en difficulté

Une mère ayant peu de ressources et n'ayant pas droit aux allocations familiales peut obtenir une allocation d'assistance à l'enfance. Il faut en faire la demande à la mairie. Si le père est au service militaire, la mère a droit à une « aide sociale » en tant que femme « dont le soutien de famille effectue son service militaire ». Il faut s'adresser également à la mairie.

Les femmes seules, **mères célibataires**, séparées, divorcées, veuves, ont droit aux mêmes avantages que les autres.

Les futures mères en difficulté peuvent bénéficier de diverses allocations de l'**Aide sociale** et loger dans des **maisons maternelles** qui les accueilleront sans formalité à partir du septième mois de grossesse et jusqu'au troisième mois après la naissance. A leur sortie, elles peuvent être logées dans des **hôtels maternels** dans lesquels elles pourront garder leur enfant près d'elles pendant un an.

Il existe à Paris des centres nourriciers qui prennent les enfants jusqu'à cinq ans pour une somme modique. Ensuite, si la maman n'a pas réussi à résoudre ses problèmes d'existence matérielle, il lui reste l'Assistance publique.

Il faut savoir qu'une mère célibataire doit non seulement déclarer son enfant, mais aussi le reconnaître. Cela pour éviter qu'un jour le père ne se l'approprie en contestant sa maternité.

Chapitre XXII

Que se passe-t-il en Belgique ?

Il existe en Belgique deux régimes de Sécurité Sociale différents : pour les salariés et appointés d'une part, pour les travailleurs indépendants d'autre part.

Pour les salariés et appointés, l'employeur effectue à la base une retenue mensuelle, retenue qu'il verse à l'Office National de Sécurité Sociale. Les travailleurs indépendants doivent cotiser eux-mêmes auprès d'une Caisse d'Assurance Sociale de leur choix.

Ces différentes cotisations sont réparties entre les régimes d'allocations familiales, d'assurance maladie-invalidité et de pension.

Pour profiter de l'assurance maladie-invalidité, tout travailleur, qu'il soit salarié, appointé ou indépendant, doit s'affilier à une mutualité de son choix. Par cette affiliation et à certaines conditions, les membres de la famille du travailleur (enfants, conjoint, ascendants ou descendants) peuvent également bénéficier de l'assurance maladie.

Allocations

Pour obtenir l'allocation de naissance, une demande accompagnée d'un certificat médical doit être introduite à partir du 6e mois de la grossesse à la Caisse d'Allocations Familiales à laquelle l'employeur du salarié (ou appointé) est affilié ; tandis que les travailleurs indépendants doivent introduire cette demande auprès de leur Caisse d'Assurance Sociale.

Les allocations familiales sont ensuite versées automatiquement et mensuellement jusqu'à ce que l'enfant ait 25 ans, pour autant qu'il soit toujours étudiant.

Le taux de ces allocations familiales varie suivant certains critères : enfants de salarié ou appointé, enfants de travailleur indépendant, suivant l'âge et le rang de l'enfant. Un taux spécial est prévu pour les orphelins, les handicapés et pour d'autres situations particulières.

Des allocations familiales complémentaires sont également versées à certains moments de l'année (par exemple avant les vacances ou avant la rentrée scolaire) et ce suivant décision des Ministères compétents.

Assurance Maladie-Invalidité

L'assurance maladie prévoit deux types d'intervention : le remboursement des soins de santé et le versement d'un revenu de remplacement en cas de maladie ou d'invalidité.

En ce qui concerne les soins de santé de la future mère, on distingue les gros et les petits risques. Par gros risques on entend exclusivement l'hospitalisation, la radiologie et la grande chirurgie. Salariés et appointés sont assurés contre les deux ; c'est-à-dire que les visites au gynécologue seront remboursées. Les travailleurs indépendants, quant à eux, ne sont couverts que contre les gros risques ; donc seuls les frais de l'hospitalisation et de l'accouchement leur seront remboursés, en tout ou partie selon que les établissements choisis pour l'hospitalisation soient agréés ou non et selon le confort demandé ; à moins qu'ils n'aient souscrit auprès de leur mutualité une assurance dite libre ou complémentaire.

En outre, une assurance supplétive existe auprès de presque toutes les mutualités et offre des avantages extralégaux tels que prime de mariage, prime de naissance, remboursement de soins à domicile, etc.

Lorsque vous êtes enceinte

Contactez votre Caisse d'Allocations Familiales ou votre Caisse d'Assurance Sociale ainsi que votre mutualité : elles vous donneront tous les détails sur la procédure à suivre pour obtenir leur appui ou leur intervention.

Vous devez également avertir votre employeur et lui

envoyer un certificat médical attestant votre état de grossesse. Dès ce moment, vous jouissez d'une protection légale contre le licenciement.

Les mères de famille salariées ou appointées ont droit à l'occasion de chaque naissance à un congé de maternité de 14 semaines.

Nous remercions le Groupe « La Famille » de nous avoir aimablement communiqué ces renseignements.

Petit répertoire de toutes les sottises qu'on a pu raconter aux futures mamans

Les garçons remuent plus tôt que les filles.
- Faux. Aucun rapport entre le sexe et la mise en place du système nerveux.

On peut avoir un garçon si on conçoit lorsque la lune est montante.
- Autant qu'on puisse le savoir, il n'y a aucun rapport entre la lune et le sexe de l'enfant. Le fait que la lune change tous les vingt-huit jours, et que ce laps de temps correspond au cycle menstruel, est peut-être à l'origine de cette croyance.

Le masque de grossesse signifie qu'on accouchera d'une fille.
- Rien à voir.

La lune déclenche l'accouchement.
- Non, c'est la glande hypophyse.

Le garçon s'installe toujours plus haut que la fille dans le ventre de sa mère.
- Quel que soit le sexe de l'enfant, on le porte bas si on a des muscles relâchés.

Les taches de vin, poils de souris, becs-de-lièvre et anomalies de cet ordre proviennent de peurs provoquées par les animaux dont les signes sont reproduits sur le bébé.
- On sait aujourd'hui que la plupart des anomalies physiques sont dues à des mutations chromosomiques ou à des erreurs humaines (exemple : la thalidomide).

Un bébé qui bouge la nuit dans le ventre de sa mère sera un enfant qui pleurera beaucoup la nuit.
- Faux.

Si je marche sur un serpent pendant que je suis enceinte, mon enfant sera diabolique.
- Si vous marchez sur un serpent, vous risquez de vous faire piquer. Ce n'est pas le moment. Regardez où vous mettez les pieds.

Des regards portés sur des gravures hideuses peuvent faire accoucher d'un monstre. Dans ce cas, on ne devrait jamais voir de films d'épouvante quand on est enceinte.
- Évitez-les si vous êtes particulièrement sensible. Mais s'il vous arrive d'être horrifiée au cinéma, dormez tranquille. Votre enfant ne deviendra pas monstrueux pour autant.

Une envie insatisfaite laisse sa marque sur le bébé.
- Elle laisse surtout sa marque sur la maman, dans la mesure où celle-ci demeure persuadée que les envies qu'elle a lui sont dictées par l'enfant qu'elle porte, et que ne pas les satisfaire peut lui faire du tort.

Si l'enfant est mal formé, c'est parce que la mère a été visitée par le diable...
- Le diable ne fait pas que des choses laides ! Et la beauté du diable, qu'en faites-vous ?...

Un enfant de plus, une dent de moins.
- C'était vrai à l'époque où les mamans se nourrissaient à tort et à travers et ne se souciaient pas d'ajouter à leur ration un peu plus de protides et de calcium.

Tricoter une layette jaune porte malheur.
- Non, ça évite de se tromper, puisque ce n'est la couleur ni du garçon (le bleu) ni de la fille (le rose).

Il ne faut pas croiser les jambes pendant la grossesse, sinon on risque d'avorter.
- Ce n'est pas une position recommandée dans la mesure où elle ne facilite pas la circulation de retour. On ne risque pas d'avorter, mais d'attraper des varices, dans une certaine mesure.

Trop fumer rend un bébé jaune.
- Pas jaune, mais plus petit et moins beau.

Si on écoute de la musique pendant sa grossesse, on facilite les dons musicaux de l'enfant à naître.
- Les dons artistiques font partie des caractéristiques transmissibles par les chromosomes. En tout cas, écouter de la bonne musique pendant sa grossesse ne peut pas faire de mal, et qui sait si bébé n'en profite pas déjà ?...

Les enfants naissent plus souvent la nuit que le jour.
- Non, il y a autant de naissances le jour que la nuit.

Il vaut mieux qu'un enfant naisse à sept mois plutôt qu'à huit.
- Plus l'enfant est près du terme à sa naissance, mieux il se porte.

Quand l'enfant naît avec le cordon autour du cou, il est voué au malheur.
- Aucun rapport. Des tas de gens sont nés « pendus » et n'en ont pas été plus malheureux pour autant.

Un bébé qui ne crie pas fort à sa naissance sera un enfant faible.
- La force n'a pas de rapport avec la puissance du cri. Mais un enfant qui fait entendre un braillement sonore à sa naissance est généralement en pleine forme.

Mon bébé est né avec beaucoup de cheveux. Les infirmières m'ont dit que c'est la raison pour laquelle j'ai eu des brûlures d'estomac pendant la grossesse.
- Aucun rapport entre les cheveux du fœtus et les brûlures d'estomac, qui sont assez normales pendant la grossesse (explications au chapitre : *tout ce qui change en vous*).

A une césarienne ne peut succéder qu'une autre césarienne.
- Cela dépend de la raison pour laquelle on a pratiqué une césarienne. S'il s'agit d'un défaut ou d'une étroitesse du bassin, oui, il faudra toujours recourir à la césarienne.

Après la troisième césarienne, on ne peut plus avoir d'enfant.
- Ce n'est plus vrai de nos jours.

Les femmes qui ont de gros seins allaiteront mieux leur enfant que celles qui ont de petits seins.
- Faux. Souvent les femmes aux seins plats sont d'excellentes nourricières.

Index
alphabétique

Table des matières

Achevé d'imprimer sur les presses de **Scorpion**,
à Verviers pour le compte des nouvelles éditions **Marabout**.
D. mai 1985/0099/61
ISBN 2-501-00044-7

GUYLAINE GUIDEZ, 45 ans, journaliste, commence sa carrière en 1962 à l'Agence France-Presse, où elle est responsable de l'information féminine. Y développe spécialement la rubrique consacrée aux *Problèmes de l'Enfance*. En 1971, est amenée à répondre chaque jour sur RTL aux femmes enceintes et aux jeunes mères qui lui téléphonent sur l'antenne, au cours d'une émission-service intitulée *Allô Maman*. A partir des milliers de questions qui lui sont posées et auxquelles elle répond avec l'aide de dizaines de spécialistes de la maternité, édifie les deux volumes du *Livre de la future maman* et du *Livre de la maman* (1975). Le *Guide Marabout de la maternité* est donc le troisième ouvrage que Guylaine Guidez a consacré à la grossesse et à l'enfantement. Elle l'a réactualisé en 1985.

Préface du Dr ROGER HERSILIE, gynécologue-accoucheur, ancien attaché à l'hôpital Lariboisière, ancien assistant du Dr Lamaze à la Clinique des Métallurgistes.

40 **0171** 5

Sexualité

Marabout Service

Marabout Université

Guide Pratique

Santé / Forme

Marabout Service